PÂTES AU FROMAGE

1 tasse nouille
1 Tasse lait
1 Tasse fromage
⅛ Tasse farine

Sel - poivre - beurre

PÂTES AU FROMAGE À LA SUISSE

100 gr nouille
100 gr fromage
½ gousse d'ail
25 ml lait
25 ml crème
250 gr patates à chair ferme
Sel

PÂTES AUX TOMATES - ZUCCHINI

nouilles   lait
oignons   Basilic
tomates   origan
zucchini
✳ peut ajouter fromage

RIZ AUX LÉGUMES

1/2 Tasse riz

4 x 1/4 tasse 4 légumes
(1 piment rouge, 1 piment vert,
1 oignon, 1 ~~Brocoli/pois/zucchini~~

1 1/2 Tasse ~~Bouillon~~ légume

**Recettes
pour bébé**

Essai des recettes : Jennifer MacKenzie
Photos : Tango
Styliste culinaire : Jacques Faucher
Styliste accessoiriste : Luce Meunier
Infographie : Johanne Lemay
Correction : Caroline Yang-Chung

**Catalogage avant publication de
Bibliothèque et Archives Canada**

Young, Nicole

    Recettes pour bébé :
    125 repas santé à préparer au mélangeur

    Traduction de : *Blender Baby Food*

    1. Cuisine (Aliments pour nourrissons). 2. Aliments
pour nourrissons. 3. Mélangeurs (Cuisine). 4. Nourrissons -
Alimentation. I. Day, Nadine. II. Titre.

TX741.Y6814 2007   641.5'6222   C2006-942319-9

Pour en savoir davantage sur nos publications,
visitez notre site : **www.edhomme.com**
Autres sites à visiter : www.edjour.com
www.edtypo.com • www.edvlb.com
www.edhexagone.com • www.edutilis.com

01-07

© 2005, Nicole Young (texte)

Traduction française :
© 2007, Les Éditions de l'Homme,
une division du Groupe Sogides inc.,
filiale du Groupe Livre Quebecor Média inc.
(Montréal, Québec)

L'ouvrage original a été publié
par Robert Rose Inc.
sous le titre *Blender Baby Food*

Dépôt légal : 2007
Bibliothèque et Archives nationales du Québec

ISBN : 978-2-7619-2286-9

DISTRIBUTEURS EXCLUSIFS :

• Pour le Canada et les États-Unis :
MESSAGERIES ADP*
2315, rue de la Province
Longueuil, Québec J4G 1G4
Tél. : (450) 640-1237
Télécopieur : (450) 674-6237
* une division du Groupe Sogides inc.,
  filiale du Groupe Livre Quebecor Média inc.

• Pour la France et les autres pays :
INTERFORUM editis
Immeuble Paryseine, 3, Allée de la Seine
94854 Ivry CEDEX
Tél. : 33 (0) 4 49 59 11 56/91
Télécopieur : 33 (0) 1 49 59 11 96
Service commandes France Métropolitaine
Tél. : 33 (0) 2 38 32 71 00
Télécopieur : 33 (0) 2 38 32 71 28
Internet : www.interforum.fr
Service commandes Export – DOM-TOM
Télécopieur : 33 (0) 2 38 32 78 86
Internet : www.interforum.fr
Courriel : cdes-export@interforum.fr

• Pour la Suisse :
INTERFORUM editis SUISSE
Case postale 69 – CH 1701 Fribourg – Suisse
Tél. : 41 (0) 26 460 80 60
Télécopieur : 41 (0) 26 460 80 68
Internet : www.interforumsuisse.ch
Courriel : office@interforumsuisse.ch
Distributeur : OLF S.A.
ZI. 3, Corminboeuf
Case postale 1061 – CH 1701 Fribourg – Suisse
Commandes :   Tél. : 41 (0) 26 467 53 33
              Télécopieur : 41 (0) 26 467 54 66
              Internet : www.olf.ch
              Courriel : information@olf.ch

• Pour la Belgique et le Luxembourg :
INTERFORUM editis BENELUX S.A.
Boulevard de l'Europe 117, B-1301 Wavre – Belgique
Tél. : 32 (0) 10 42 03 20
Télécopieur : 32 (0) 10 41 20 24
Internet : www.interforum.be
Courriel : info@interforum.be

Gouvernement du Québec – Programme de crédit
d'impôt pour l'édition de livres – Gestion SODEC –
www.sodec.gouv.qc.ca

L'Éditeur bénéficie du soutien de la Société de développement des entreprises culturelles du Québec pour
son programme d'édition.

Le Conseil des Arts du Canada
The Canada Council for the Arts

Nous remercions le Conseil des Arts du Canada de
l'aide accordée à notre programme de publication.

Nous reconnaissons l'aide financière du gouvernement du Canada par l'entremise du Programme d'aide
au développement de l'industrie de l'édition (PADIÉ)
pour nos activités d'édition.

NICOLE YOUNG
NADINE DAY

Recettes pour bébé

125 repas santé à préparer au mélangeur

Traduit de l'anglais par Monique Richard

LES ÉDITIONS DE
L'HOMME

Avant-propos

Un mois avant de donner naissance à mon premier enfant, je suis allée à une fête qu'une amie donnait pour l'anniversaire de son fils. J'ai observé avec intérêt le spectacle de tous ces parents expérimentés qui escortaient leur progéniture à table, mais, durant le repas, c'est surtout le fils de notre hôte qui a retenu mon attention. Le bambin dévorait avec appétit un premier repas d'anniversaire composé de brocoli et de fèves vertes blanchis, et de bouchées de carottes et poivrons rouges crus. Tous les autres enfants repoussaient cette offrande potagère pour jeter leur dévolu sur des craquelins en forme de poisson.

Qu'avait donc fait mon amie pour habituer son bébé à manger des légumes, du hoummos et du pain pita? Tandis que, fascinée, je regardais le plus petit végétarien du monde engouffrer son festin santé, sa mère précisa qu'elle avait préparé elle-même ce repas à partir de produits frais.

L'incident m'a convaincue que c'était la voie à suivre. Au cours des cinq dernières années, j'ai donné des centaines de séminaires sur l'art de préparer soi-même la nourriture de son bébé. Les parents et dispensateurs de soins qui assistent à ces cours discutent avec moi de la variété, de la qualité et du coût des aliments à servir à un nourrisson ou enfant en bas âge, ainsi que de la nécessité de varier la texture des repas de l'enfant. J'insiste toujours sur le fait que même les parents les plus occupés peuvent trouver le temps d'apprêter toute une variété de purées simples à préparer. Dans l'introduction de ce livre, Nadine vous fera part de tous les détails que vous devez savoir pour servir des aliments frais et sains à votre bambin.

J'ai pu constater de première main les bienfaits de l'approche que je prône : mes deux enfants se sont nourris de ces purées quand ils étaient petits; or, ils continuent aujourd'hui de s'alimenter sainement. Ils s'accordent parfois une petite gâterie, mais ils raffolent toujours des crudités. Il va sans dire que je suis enchantée qu'il en soit ainsi.

J'espère que ce livre vous incitera à préparer votre propre nourriture pour bébé. J'espère également que vous et votre enfant garderez de doux souvenirs de ces repas remplis d'amour et de bons aliments.

Introduction

Il est très excitant pour un parent de voir son bébé commencer à manger des aliments solides. Les parents qui aident leur enfant à traverser cette étape importante de sa vie en retirent toujours une grande satisfaction. Cela dit, bon nombre de parents ne savent pas quand commencer à donner des aliments solides à leur enfant ni quels aliments lui donner dans la première année de sa vie. Quand des parents me questionnent à ce sujet, je les rassure en leur disant qu'il ne s'agit pas d'une science exacte. Il y a bien sûr certaines directives à suivre, mais au bout du compte, c'est l'enfant qui sait ce qui est bon pour lui. Votre bébé vous fera savoir quand il sera prêt à passer à une nouvelle texture ou une nouvelle saveur.

Préparer sa propre nourriture pour bébé peut sembler compliqué de prime abord, mais en vérité, c'est tout simple. Vous trouverez dans *Aliments au mélangeur pour bébé* des tas de recettes et de conseils qui contribueront à faire de cette nouvelle entreprise une expérience agréable, tant pour vous que pour votre petit chéri.

Même si vous décidez de ne préparer qu'une partie des repas de votre enfant, le mélangeur demeure un outil important qui vous permettra d'initier celui-ci à de nouvelles textures et saveurs. Vous verrez combien il est facile de combiner les aliments solides servis comme tels et les aliments solides passés au mélangeur – compotes, jus de fruits, trempettes, etc.

Quand commencer les aliments solides

Santé Canada et la American Academy of Pediatrics recommandent l'introduction d'aliments complémentaires lorsque le nourrisson atteint l'âge de six mois. Ces aliments sont dits complémentaires parce qu'ils viennent s'ajouter au lait maternel ou maternisé. À cet âge, les nourrissons sont prêts psychologiquement et physiologiquement à accepter des aliments solides. Cela dit, chaque bébé est différent; certains passeront aux aliments solides avant l'âge de six mois et d'autres, un peu plus tard.

Voici quelques signes qui indiquent que votre bébé est prêt à manger des aliments solides :

- Il peut rester assis sans que vous ayez à le soutenir, ou alors avec un soutien minimal.
- Il ouvre la bouche quand il voit quelque chose s'approcher de son visage ou de sa bouche.
- Il tourne la tête quand il ne veut pas d'un aliment que vous lui proposez.
- Il ferme sa bouche autour de la cuiller.
- Il s'intéresse à ce que vous mangez.

Restez à l'écoute de votre bébé. Certains nourrissons mettent un à deux mois à s'accoutumer aux aliments solides et ne mangeront durant cette période d'acclimatation qu'une ou deux bouchées d'aliments solides par repas. Le lait maternel ou maternisé répondra aux besoins nutritionnels de votre enfant jusqu'à l'âge de six mois, aussi n'est-il pas nécessaire que vous le forciez à manger des aliments solides avant qu'il n'en exprime le besoin.

Une transition progressive

Tous les nourrissons ne se développent pas au même rythme. C'est pourquoi vous devez rester à l'écoute de votre bébé ; son comportement vous aidera à déterminer s'il est prêt à ajouter des aliments complémentaires à son régime habituel de lait maternel ou de préparation lactée.

À l'âge de six mois, les réserves de fer que le nourrisson a accumulées alors qu'il était dans le ventre de sa mère commencent à décliner. L'enfant a donc besoin à ce moment-là d'un aliment complémentaire riche en fer. La plupart des parents optent d'abord pour une céréale enrichie de fer. Commencez par une céréale composée d'une seule sorte de grain – le riz ou l'orge sont de bons choix. En introduisant un seul aliment à la fois, vous aiderez votre enfant à s'adapter au nouvel aliment et il sera plus facile pour vous de détecter les symptômes d'une allergie alimentaire potentielle. Une fois cette première étape franchie, introduisez graduellement le gruau, puis finalement les céréales multigrains contenant du blé.

Une fois que votre enfant sera capable de manger 2 ou 3 c. à soupe de céréale à grain unique deux fois par jour, vous pourrez commencer à introduire les fruits et les légumes. Que vous commenciez par l'un ou par l'autre n'a aucune importance. Certaines personnes ont remarqué que leur enfant mange plus de légumes si ceux-ci ont été introduits dans son alimentation avant les fruits ; d'autres n'y voient aucune différence. Laissez votre enfant décider de ce qu'il veut manger, cependant continuez de lui proposer les aliments qu'il a rejetés à la première tentative. Il est probable que la saveur du nouvel aliment l'a surpris, mais qu'il s'y accoutumera avec le temps.

Vous identifierez plus facilement les allergies ou intolérances alimentaires potentielles si vous introduisez chaque nouvel aliment à cinq ou sept jours d'intervalle. Ceci est particulièrement important s'il y a une prédisposition héréditaire aux allergies dans votre famille ou celle de votre conjoint.

Durant la période d'acclimatation aux aliments solides, continuez d'allaiter ou de donner le biberon à votre bébé chaque fois qu'il en fait la demande. Le lait maternel et les préparations lactées sont pour le nourrisson les meilleures sources de protéines, de lipides, de vitamines et de minéraux qui soient. À ce stade de son développement, les aliments solides doivent être considérés comme des compléments au lait maternel ou maternisé.

À l'âge de six ou huit mois, votre enfant mangera probablement toute une variété de fruits et légumes, de même que des céréales pour bébé enrichies de fer, cela à raison de deux ou trois fois par jour. À cet âge, l'enfant est prêt à essayer d'autres produits à base de céréales – pain, rôties, craquelins, céréales de blé, etc. N'oubliez pas d'émietter ces aliments ou de les couper en petits morceaux que le bébé pourra manger d'une bouchée.

À cet âge, le bébé est prêt à manger de la viande, de la volaille, du poisson, des jaunes d'œufs et de la purée de légumineuses. (Les blancs d'œufs peuvent causer une réaction allergique chez certains enfants, aussi est-il recommandé d'attendre que l'enfant ait un an avant d'introduire cet aliment dans son régime.)

Certains enfants ont initialement de la difficulté à accepter les viandes. Pour aider l'enfant à s'accoutumer à ce nouvel aliment, servez-lui de la viande en purée ou finement hachée mélangée à de l'eau ou du bouillon, ou avec un légume – vous trouverez dans le présent ouvrage plusieurs combinaisons intéressantes de viandes et de légumes. Les purées que vous servirez à votre bébé doivent avoir la consistance onctueuse d'un pudding ; la texture des aliments hachés doit s'apparenter à celle du pudding au riz. Pour obtenir une texture bien lisse, passez l'aliment au mélangeur plus longtemps. Je répète qu'il est bon d'introduire chaque nouvel aliment à cinq ou sept jours d'intervalle ; il faut laisser au bébé le temps de s'habituer à une nouvelle saveur avant de lui en proposer une autre.

À l'âge de six ou huit mois, l'enfant est prêt à utiliser une tasse. Servez-lui le lait maternel, les préparations lactées et l'eau dans une tasse ordinaire ou une tasse inversable pour bébé. Le jus n'est pas une nécessité à cet âge, surtout si l'enfant mange des fruits et légumes. Il est préférable que le nourrisson apprenne à manger plutôt qu'à boire ces aliments. Les fruits entiers contiennent des fibres, lesquelles sont une partie importante d'une saine alimentation. Quand on leur en donne le choix, la plupart des bébés préfèrent boire leurs aliments plutôt que de les manger. Or, le problème est que les jus de fruits contiennent beaucoup de sucre. Une trop grande consommation de ces jus peut augmenter les risques de caries chez l'enfant. Ne donnez pas plus de 125 ml (½ tasse) de jus par jour à votre enfant. Optez pour des jus de fruits purs à 100 % que vous diluerez avec un peu d'eau.

Entre l'âge de neuf et douze mois, votre enfant peut commencer à manger des produits laitiers tels que le yogourt et le fromage. Vous pouvez aussi commencer à lui servir les mêmes aliments que vous mangez aux repas, mais en prenant soin de bien les couper au préalable. Fruits et légumes cuits coupés en dés, bouchées de viande, ragoûts et plats de nouilles coupées en petits morceaux sont autant de choix judicieux.

Il est important d'initier l'enfant à toute une variété de textures afin qu'il apprenne à mâcher et déglutir correctement. Le tableau ci-dessous indique quelles textures sont appropriées selon l'âge de l'enfant :

- 6 mois : Purées très liquides qui ont la consistance d'un pudding dilué.
- 7 mois : Aliments hachés légèrement grumeleux qui ont la consistance du pudding au riz ou du tapioca.
- 8 à 12 mois : Aliments mous déchiquetés ou coupés en dés.
- 12 mois et plus : Mêmes aliments que vous mangez aux repas, mais coupés spécialement pour bébé. Les aliments mous peuvent être servis tels quels ; les aliments plus consistants doivent être coupés en petites bouchées.

Conseil : Utilisez la face la plus grossière d'une râpe pour trancher les carottes, pommes, poires et autres fruits et légumes durs. Coupez les aliments cuits de consistance plus molle en cubes de 1 cm, soit environ la grosseur du bout de votre auriculaire.

À cet âge, le lait maternel ou maternisé doit demeurer la boisson principale du nourrisson. Le lait homogénéisé pasteurisé peut remplacer la préparation lactée ou compléter le lait maternel dès que l'enfant atteint l'âge d'un an. Le parent ne doit pas réduire la consommation de gras d'un enfant de cet âge ; à ce stade de son développement, le bébé a besoin des acides gras essentiels que contient le lait homogénéisé pour avoir une croissance normale. Ne passez pas au lait 2 % ou 1 % avant que l'enfant ait atteint l'âge de deux ans.

Âge d'introduction des aliments solides

Les recettes de ce livre sont regroupées en chapitres selon l'âge auquel les aliments deviennent adéquats et tolérables pour la majorité des bébés. Voici grosso modo les aliments qui sont appropriés aux différentes phases du développement de l'enfant :

- 6 mois : Céréales à grain unique, puis fruits et légumes introduits un à la fois ; mélanger ensuite les fruits et légumes qui ont précédemment été introduits séparément.
- 7 mois : Les pâtes, le riz et les autres céréales.
- 8 mois : La viande, la volaille, le poisson, les lentilles et les jaunes d'œufs.
- 9 mois : Le yogourt et le fromage.
- 12 mois : Le lait homogénéisé, le miel et les blancs d'œufs. Consultez le médecin de votre enfant avant d'ajouter les noix et beurres de noix à sa diète.

Considérez les points ci-dessus comme des suggestions et non comme des règles strictes. En cas de doute, n'hésitez pas à consulter votre pédiatre ou votre médecin de famille, surtout s'il y a des prédispositions aux allergies ou intolérances alimentaires dans votre famille.

Encore une fois, soyez à l'écoute de l'enfant, car c'est lui qui vous fera savoir s'il est prêt à accepter une nouvelle texture ou saveur.

La planification des repas

Vous trouverez au début de chaque chapitre trois plans de repas différents. Chaque plan énumère l'ensemble des aliments que vous servirez à votre enfant dans le courant d'une journée et chaque recette donne entre 4 et 8 portions. Afin de gagner du temps, utilisez le même plan de repas pendant quatre jours consécutifs, puis passez ensuite à un plan différent. Cette façon de faire est tout à fait acceptable considérant que, contrairement aux adultes, les nourrissons et enfants en bas âge ne ressentent pas le besoin de varier leur menu d'un jour à l'autre.

Conseil : Introduisez chaque aliment séparément avant de les combiner au sein d'une recette. Il vous sera plus facile d'identifier les réactions allergiques potentielles si vous procédez ainsi.

N'oubliez pas que les bébés ne grandissent pas tous au même rythme ; par conséquent, chacun aura des besoins différents. Les nourrissons et enfants en bas âge ont des habitudes alimentaires plutôt erratiques ; ils peuvent manger beaucoup un jour et peu le lendemain. Ne vous inquiétez pas, car les choses se stabiliseront avec le temps.

Quelques précautions à prendre

Le miel

Santé Canada déconseille le miel pour les enfants de moins d'un an. Cet aliment est un facteur de risque pour le botulisme infantile, un empoisonnement alimentaire potentiellement mortel causé par la présence de la bactérie *clostridium botulinum*. La quantité de toxine présente dans le miel n'est pas néfaste aux adultes, mais elle peut être extrêmement nocive pour les nourrissons. Lisez bien les étiquettes ou emballages des aliments que vous achetez et évitez de sucrer les plats que vous préparez en y ajoutant du miel.

Les œufs

Les coquilles d'œuf peuvent parfois être contaminées par la salmonelle, une bactérie pathogène. Pour éliminer tout risque de transmission, faites bien cuire les œufs et évitez les aliments qui contiennent des œufs crus.

La suffocation

Voici quelques conseils qui vous aideront à éviter ce problème courant chez l'enfant :

- Supervisez l'enfant en tout temps lorsqu'il mange.
- Faites en sorte que les repas de l'enfant se déroulent dans le calme.
- Ne faites pas rire votre enfant pendant qu'il mange, car il pourrait aspirer de la nourriture et s'étouffer.
- Un enfant de moins de quatre ans ne devrait pas manger : du maïs soufflé ; des bonbons durs ; de la gomme ; des pastilles ; des raisins secs ; des arachides ou autres noix ; des graines de tournesol ; un poisson dont on n'a pas retiré les arêtes ; des brochettes ou aliments contenant des cure-dents.
- Évitez les aliments ronds, collants, trop petits ou trop durs qui risqueraient de bloquer les voies respiratoires de l'enfant. Consultez le tableau suivant pour diminuer les risques de suffocation liés à certains aliments.

LES PRÉPARATIONS SÉCURITAIRES ET NON SÉCURITAIRES

Aliment	Préparation non sécuritaire	Préparation sécuritaire
Hot-dog/saucisse	Coupé en rondelles	Couper dans le sens de la longueur, puis en demi-lunes
Carotte crue ou fruit dur	Servi entier ou coupé en gros morceaux	Râper
Fruit avec noyau	Servi entier	Retirer le noyau, puis couper en dés
Raisins	Servis entiers	Hacher
Beurre d'arachide	Servi seul ou à la cuiller	Étendre une mince couche sur des craquelins ou du pain

Les bouteilles

Les bébés doivent être supervisés quand ils manipulent une bouteille. Pour que l'enfant puisse boire à la bouteille de façon sécuritaire, il faut qu'il soit bien assis dans un endroit calme dénué de distractions. Ne posez pas la bouteille sur une serviette ou une couverture et ne donnez pas de bouteille à l'enfant quand il est étendu, quand il court ou marche, ou lorsqu'il est en voiture.

Les allergies alimentaires

On parle d'allergie alimentaire quand l'organisme réagit négativement à un aliment ingéré. Les symptômes possibles d'une allergie alimentaire sont : anaphylaxie (réaction extrême qui met la vie de l'individu en danger) ; maux et crampes d'estomac ; diarrhée ; éruptions cutanées autour de la bouche ou de l'anus ; nausées et vomissements ; démangeaisons au niveau de la gorge, de la bouche ou des yeux ; urticaire ; enflures ; nez bouché ou qui coule ; difficulté à déglutir ou à respirer. La sévérité de la réaction dépend de la sévérité de l'allergie. Si vous soupçonnez que votre enfant réagit négativement à un aliment, consultez immédiatement votre médecin.

La plupart des allergies alimentaires sont héréditaires. Si l'enfant a un père, une mère, un frère ou une sœur qui est allergique à un certain aliment, il est possible que l'enfant soit allergique à cet aliment lui aussi. Les enfants en bas âge peuvent développer une allergie alimentaire quand un aliment potentiellement allergène a été introduit trop tôt dans leur diète. Les chances de développer une allergie sont plus grandes dans la première année de vie du nourrisson parce que son estomac est plus perméable aux allergènes alimentaires. Quatre-vingt-quinze pour cent des allergies alimentaires sont imputables au lait, aux œufs, au soya, aux noix et au blé. Des études révèlent que 2 % à 8 % des nourrissons et enfants de moins de trois ans souffrent d'une hypersensibilité à certains aliments, mais dans bien des cas, l'allergie disparaît avant l'âge de cinq ans.

S'il y a prédisposition aux allergies alimentaires dans votre famille, ou si vous avez quelque inquiétude que ce soit, n'introduisez pas d'aliments potentiellement allergènes dans le régime alimentaire de votre enfant sans en parler d'abord avec votre médecin. Si le médecin confirme que votre enfant souffre d'une allergie ou intolérance alimentaire, discutez avec lui ou avec un diététiste des carences alimentaires qui peuvent résulter d'un tel diagnostic. Par exemple, si votre enfant a une allergie ou une intolérance aux produits laitiers, il faudra que vous lui donniez des suppléments de calcium ou que vous lui fassiez consommer davantage d'aliments riches en calcium.

Préparer soi-même la nourriture pour bébé

Il est très facile de préparer chez soi une version maison des aliments pour bébé qui se vendent dans des petits pots au supermarché. Après tout, la nourriture pour bébé n'est rien de plus que de la nourriture pour adultes que l'on a pilée ou réduite en purée avant de la passer au tamis. Voici trois bonnes raisons qui vous inciteront à fabriquer vous-même votre nourriture pour bébé :

- Vous savez ce qu'il y a dedans ;
- Vous pouvez ajuster la texture selon les préférences de votre enfant ;
- Cela vous permet de développer les goûts de votre enfant et de lui apprendre à apprécier la saveur des aliments frais.

Quelques conseils de préparation

- Travaillez dans des conditions aussi sanitaires que possible :
  - Lavez-vous les mains au savon et à l'eau chaude, rincez-les bien, puis essuyez-les avec une serviette propre avant de préparer la nourriture du bébé, avant de le faire manger et après avoir changé sa couche ;
  - Nettoyez soigneusement les surfaces de travail au savon et à l'eau chaude ;
  - Nettoyez soigneusement au savon et à l'eau chaude tous les outils et ustensiles dont vous devez vous servir.
- Nettoyez bien les fruits et légumes frais à l'aide d'une brosse, puis épluchez-les et retirez les pépins et noyaux qu'ils contiennent.
- Retirez les os, la peau, le tissu conjonctif et le gras des viandes destinées à votre enfant.
- Les aliments cuits doivent être bouillis dans une casserole couverte avec une petite quantité d'eau jusqu'à ce qu'ils deviennent tendres. Il est important de ne pas mettre trop d'eau dans la casserole : moins il y a d'eau, plus l'aliment conserve ses nutriments.
- Réduisez les aliments en purée à l'aide d'un mélangeur, d'un robot culinaire, d'une cuiller, d'une fourchette ou d'un broyeur spécialement conçu pour la nourriture pour bébé. Il est important de bien hacher ou broyer les aliments coriaces. Les aliments qui ne sont pas réduits en purée doivent être coupés en petits morceaux ou en tranches minces. Retirez les noyaux et pépins des fruits.
- N'ajoutez pas de sel ou de sucre aux aliments. En plus d'être un excellent agent de conservation, le jus de citron, lorsqu'il est utilisé en petite quantité, rehaussera la saveur des aliments que vous servez à votre enfant.
- Évitez les aliments frits.
- Vous n'avez pas à préparer de repas spéciaux pour votre bébé. Servez-lui simplement la même nourriture que vous préparez pour le reste de votre famille, mais en prenant soin de la hacher ou de la piler pour lui donner une consistance appropriée. Si vous préparez une recette bien relevée, mettez de côté la portion réservée à l'enfant avant d'ajouter les épices.
- Préparez une quantité de nourriture pour bébé suffisante pour plusieurs repas. Conservez les aliments en vous référant aux règles ci-dessous, ou comme indiqué dans la recette.

La conservation des aliments

- Réfrigérez ou congelez en portions individuelles les aliments en purée que vous n'utilisez pas immédiatement. La nourriture pour bébé se conserve généralement pendant trois jours au frigo, à moins d'indication contraire dans la recette.
- Pour congeler : Laisser refroidir la purée, puis versez-la dans des moules à petits gâteaux ou dans un bac à glaçons propre. Couvrez ensuite de pellicule plastique ou de papier d'aluminium. Au bout d'environ 24 h, transférez les portions ou cubes de purée congelée dans un sac de congélation hermétique sur lequel vous inscrirez la date et le contenu.
- Rangez les sacs au congélateur en plaçant l'aliment plus récent à l'arrière de ceux que vous avez préparés précédemment. La nourriture pour bébé faite maison se conserve sans problème pendant trois mois au congélateur.

Décongeler et réchauffer

- Décongélation lente : Mettez la quantité de nourriture nécessaire pour une journée au frigo dans un contenant hermétique, ce qui lui permettra de décongeler doucement en l'espace de 4 h environ. Ne décongelez pas les aliments à la température de la pièce, car cela favorise la prolifération de bactéries sur la nourriture.
- Décongélation rapide : Déposez les portions de purée congelée dans un récipient résistant à la chaleur, puis mettez le récipient dans une casserole contenant de l'eau chaude. Faites chauffer sur la cuisinière à feu doux, ou au four à micro-ondes en remplaçant le poêlon par un contenant adéquat.
- Mélangez bien la purée et vérifiez sa température du bout du doigt pour vous assurer qu'elle n'est pas trop chaude pour bébé – ceci est particulièrement important si vous faites chauffer l'aliment au four à micro-ondes. Visez une température proche de la température ambiante – c'est ce que préfère la majorité des bébés.
- Jetez tout aliment réchauffé qui n'a pas été consommé.

Les outils nécessaires

- Mélangeur : Toutes les recettes de ce livre se font idéalement au mélangeur.
- Tamis ou passoire fine : À utiliser avec les jus, les fruits mous et les légumes, mais pas avec les viandes. Pour éviter qu'il y ait des pépins ou autres débris dans la nourriture de bébé, passez l'aliment au tamis en pressant bien avec le dos d'une cuiller.
- Cuillers, fourchettes et presse-purée : Utilisez ces ustensiles pour piler ou réduire en purée les aliments mous – fruits en conserve, jaunes d'œufs, bananes, pommes de terre, etc.
- Moulin à légumes : Vous trouverez dans les magasins à grande surface une version réduite de cet appareil, idéale pour préparer la nourriture de bébé. Vous pourrez l'utiliser à la maison ou l'emmener en voyage pour réduire en purée les légumes mous, les fruits, les pâtes alimentaires et le riz.
- Bac à glaçons en plastique : Comme indiqué précédemment, vous pouvez faire congeler la nourriture préparée à l'avance dans un bac à glaçons.

Autres outils utiles

- Robot culinaire
- Mélangeur à main
- Brosse à légumes et éplucheur
- Casserole avec couvercle
- Four vapeur
- Pocheuse
- Poêle à rôtir
- Plaque à biscuits
- Moule à muffins
- Tasses résistantes à la chaleur
- Tasses et cuillers à mesurer
- Louche
- Spatule
- Couteau d'office bien tranchant
- Planche à découper
- Râpe
- Bocaux avec couvercle (125 ml)
- Petits sacs de congélation
- Papier ciré
- Ruban adhésif pour emballage de congélation
- Marqueur

L'apprentissage des bonnes habitudes alimentaires (de 12 à 24 mois)

C'est généralement vers l'âge d'un an qu'un enfant commence à marcher. Trop occupé à explorer son univers, il semble alors se désintéresser de la nourriture et n'a plus envie de manger à des heures régulières. Cet état de choses est tout à fait normal. Plutôt que d'essayer de contraindre l'enfant à suivre son horaire de repas et de collations habituel, faites-le manger plus souvent, mais en plus petites quantités. À ce stade de sa croissance, votre enfant a besoin d'aliments sains qui lui donneront l'énergie et les nutriments nécessaires à son bon développement, mais il doit aussi apprendre à apprécier toutes sortes d'aliments différents. C'est pourquoi il est préférable de donner à un enfant de cet âge des aliments sains et nutritifs quand il a faim plutôt que de le forcer à s'asseoir pour manger à heures fixes. Cela ne veut pas dire que l'enfant ne peut pas prendre part aux repas familiaux ; bien au contraire, votre tout-petit apprendra beaucoup en s'asseyant à table pour voir le reste de sa famille manger toute une variété de bons aliments.

Le rythme de croissance d'un enfant ralentit toujours après la première année, ce qui explique pourquoi, passé le cap des douze mois, l'appétit de l'enfant peut diminuer et ses habitudes alimentaires peuvent sembler erratiques et imprévisibles. Un bébé peut tripler son poids et augmenter sa grandeur de 50 % durant sa première année de vie, toutefois ce taux de croissance ne se maintient pas par la suite ; l'enfant ne quadruplera son poids de naissance qu'à l'âge de deux ans environ et ne doublera sa grandeur que vers l'âge de quatre ans. Après son premier anniversaire, l'enfant n'a plus besoin de la même quantité de nourriture dont il avait besoin durant sa première année de vie. En permettant à votre enfant de vous dire quand il a faim, vous lui apprenez à gérer lui-même sa faim et ses besoins alimentaires. En tant que parent, votre responsabilité se résume à fournir à l'enfant toute une variété d'aliments frais et sains qui seront à sa disposition lorsqu'il aura faim.

Pour parfaire vos connaissances en matière de nutrition, consultez le *Guide alimentaire canadien pour manger sainement*. Ce guide très informatif précise entre autres les quantités de nourriture qu'un enfant d'âge préscolaire doit consommer, de même que le nombre de portions quotidiennes recommandées pour chacun des quatre groupes alimentaires – produits céréaliers ; fruits et légumes ; produits laitiers ; viandes et substituts. Il y a des éléments nutritifs différents dans chacun de ces groupes, aussi est-il important que l'enfant mange chaque jour toute une variété d'aliments différents tirés des quatre groupes alimentaires. Les repas d'un enfant de cet âge devraient être élaborés à partir de trois ou quatre groupes alimentaires et ses collations, à partir d'un ou deux groupes alimentaires. Procédez de cette façon et votre enfant aura tous les nutriments dont il a besoin pour grandir et se développer normalement. Vous pouvez télécharger une copie du *Guide alimentaire canadien pour manger sainement* sur le site Internet de Santé Canada à l'adresse suivante : http://www.hc-sc.gc.ca/fn-an/food-guide-aliment/fg_rainbow-arc_en_ciel_ga_f.html. Vous pouvez aussi en commander un exemplaire à la Direction de la santé publique de votre région.

Les « apports nutritionnels de référence » (ANREF) ont été établis par Santé Canada pour informer les Canadiens des quantités quotidiennes d'éléments nutritifs essentiels – glucides, protéines, acides gras, calcium, vitamine C, fibres, fer, etc. – nécessaires au maintien d'une bonne santé. Fruit d'une collaboration entre des scientifiques canadiens et américains, les ANREF sont venus remplacer la notion d'« apport nutritionnel recommandé » (ANR) qui prévalait jusqu'alors chez Santé Canada. L'« apport nutritionnel adéquat » (ANA) correspond à l'apport nutritionnel journalier recommandé pour la plupart des personnes en bonne santé ; c'est cette quantité que vous devez viser pour votre enfant. L'« apport maximal tolérable » (AMT) représente quant à lui le degré le plus élevé de nutriments qu'une personne normale peut ingérer en une journée sans effets néfastes pour la santé.

Conseil : Le terme « enrichi » est employé quand des vitamines ont été ajoutées à un aliment traité tel que la farine blanchie et les pâtes blanchies.

Les produits céréaliers

C'est dans ce groupe alimentaire que votre enfant puisera l'essentiel de l'énergie dont il a besoin tout au long de la journée. Les produits céréaliers sont une très bonne source de fibres, de vitamines et de minéraux tel le fer. Optez toujours pour des produits enrichis ou à grains entiers. Les pains entiers, le pain de blé entier, les céréales à haute teneur en fibres et les pâtes enrichies ou au blé entier sont tous d'excellents choix.

Les fibres

Ingrédient essentiel de toute bonne alimentation, les fibres font partie des membranes cellulaires des plantes et sont composées de glucides que l'organisme humain ne peut pas digérer.

Les fibres sont bénéfiques pour la santé, et pas seulement parce qu'elles aident à régulariser les fonctions intestinales. L'être humain doit manger quotidiennement des aliments riches en fibres tels les produits céréaliers pour garder son système digestif en santé et prévenir les maladies cardiaques.

LES APPORTS NUTRITIONNELS DE RÉFÉRENCE EN FIBRES

De 0 à 6 mois : Indéterminé
De 7 à 12 mois : Indéterminé
De 1 à 3 ans : 19 g/jour (ANA)

Conseil : Les fruits et légumes congelés sont généralement empaquetés quand le produit arrive à maturité et sont donc des choix sains et économiques, surtout pour les produits qui ne sont pas en saison. Les légumes en conserve ne sont pas recommandés pour les nourrissons parce qu'ils renferment trop de sodium. Si vous devez absolument utiliser des légumes en conserve, rincez-les bien afin de réduire leur contenu en sodium.

Il y a deux types de fibres : les fibres solubles et les fibres insolubles. Les **fibres solubles** sont solubles dans l'eau et absorbent l'eau comme une éponge, ce qui a pour effet d'augmenter le volume du contenu des intestins. On retrouve ce type de fibres dans les pommes, les poires, l'avoine, l'orge, le psyllium, les prunes, les fèves, ainsi que dans d'autres aliments. Des recherches ont démontré que les fibres solubles contribuent à diminuer le taux de cholestérol sanguin, ce qui réduit les risques de maladie coronarienne.

Les **fibres insolubles** ne sont pas solubles dans l'eau et ont la capacité d'accélérer le transit intestinal des aliments. Ce type de fibres est très efficace pour soulager la constipation. Le blé, le son de blé et les graines sont d'excellentes sources de fibres insolubles.

Afin d'optimiser votre consommation de fibres, optez pour un pain contenant plus de 3 g de fibres par tranche et pour des céréales ayant plus de 4 g de fibres par portion. Les grains entiers, le son de blé, les fèves et les lentilles sont une bonne source de fibres, de même que la plupart des fruits et légumes.

Les fruits et légumes

Les fruits et légumes sont des aliments riches en glucides, en fibres, en minéraux et en vitamines (particulièrement les vitamines A et C). C'est généralement avec ce groupe alimentaire que les parents ont le plus de difficulté. Montrez à l'enfant que ces aliments peuvent être amusants à manger. Rendez l'expérience aussi ludique que possible en parlant des petits « arbres en brocoli » et « rondelles de carotte » que vous lui donnez à manger. Le présent ouvrage contient plusieurs recettes qui combinent les fruits et légumes à d'autres groupes alimentaires, une approche qui aidera l'enfant à s'accoutumer à ce type d'aliments. Il est très important pour un enfant de cet âge de voir ses parents manger des fruits et légumes avec appétit. Après tout, il serait injuste que vous obligiez votre enfant à manger un aliment que vous ne mangez pas vous-même!

Les fruits et légumes rouges ou orangés et les légumes verts à feuilles sont ceux qui contiennent le plus de nutriments. Le brocoli, l'épinard, la courge, les patates douces, les carottes, le cantaloup, les poivrons et les baies sont aussi de très bons choix. Chaque fruit, chaque légume contient une combinaison de vitamines et de minéraux qui lui est propre ; c'est pourquoi il est si important que votre enfant mange toute une variété d'aliments appartenant à ce groupe alimentaire.

La vitamine C

La vitamine C favorise la guérison, voit au bon développement des tissus conjonctifs et nous aide à garder nos gencives en santé. On dit qu'elle contribue à soulager les symptômes et à réduire la durée d'un rhume, mais son rôle le plus important est sans doute d'aider l'organisme à assimiler le fer.

LES APPORTS NUTRITIONNELS DE RÉFÉRENCE EN VITAMINE C
De 0 à 6 mois : 40 mg/jour (ANA)
De 7 à 12 mois : 50 mg/jour (ANA)
De 1 à 3 ans : 15 mg/jour (ANA) ; 400 mg/jour (AMT)

Les agrumes, les tomates, les pommes de terre, les choux de Bruxelles, le chou-fleur, le brocoli, les fraises, le chou, l'épinard et les poivrons sont tous d'excellentes sources de vitamine C.

Les produits laitiers

C'est dans ce groupe alimentaire que votre enfant puisera le calcium et la vitamine D nécessaires au bon développement et au maintien de ses dents et de ses os. Les produits laitiers contiennent également des protéines, acides gras, vitamines et minéraux essentiels à la santé. Entre l'âge de 12 et 24 mois, les enfants ont besoin de plus de gras et doivent donc boire du lait entier ou homogénéisé ; le lait 1 % ou 2 % peut être introduit à partir de la deuxième année. Les enfants de cet âge peuvent aussi manger du fromage et du yogourt à base de lait entier.

Le calcium et la vitamine D

En plus de contribuer à la formation et au maintien des dents et des os, le calcium joue un rôle important dans des processus physiologiques telles la contraction musculaire – c'est lui qui permet à notre cœur de se contracter –, la coagulation sanguine et la transmission des impulsions nerveuses. C'est dans les os que le calcium que nous absorbons est entreposé. Lorsque nous ne mangeons pas suffisamment d'aliments riches en calcium, notre corps va chercher le calcium dont il a besoin dans nos os.

Les produits laitiers sont une excellente source de calcium. Cela dit, le lait et le yogourt sont les seuls aliments de ce groupe qui contiennent de la vitamine D, qui est elle aussi essentielle à la santé des os puisqu'elle aide le corps à métaboliser le calcium.

LES APPORTS NUTRITIONNELS DE RÉFÉRENCE EN CALCIUM

De 0 à 6 mois : 210 mg/jour (ANA)
De 7 à 12 mois : 270 mg/jour (ANA)
De 1 à 3 ans : 500 mg/jour (ANA)

Le lait, le yogourt et le fromage sont tous d'excellentes sources de calcium. Les meilleures sources de vitamine D sont le lait, les jaunes d'œufs, les poissons gras et… le soleil !

La viande et ses substituts

Les aliments de ce groupe sont une bonne source de protéines, de fer, de gras essentiels, de vitamines et de minéraux. Quand vous servez de la viande à votre enfant, coupez-la en petites bouchées pour que ses petites dents aient moins de difficulté à la mastiquer. Les choix santé sont ici le bœuf maigre, l'agneau, le porc, le poulet – sans la peau – et le poisson, particulièrement les poissons gras tel le saumon.

Mais n'oublions pas les substituts ! En plus d'être d'excellentes sources de protéines, les œufs, le beurre d'arachide, le tofu, les fèves et les légumineuses mettront de la variété dans le régime alimentaire de votre tout-petit. Les fèves et les légumineuses sont également riches en fibres.

Le fer

Autre élément essentiel de toute saine alimentation, le fer joue un rôle important dans l'oxygénation du sang. La carence en fer est la carence nutritionnelle la plus répandue en Amérique du Nord. Les personnes qui manquent de fer dans leur organisme peuvent souffrir d'anémie, une condition dont les symptômes sont la fatigue, l'irritabilité et l'affaiblissement des capacités de concentration. Chez l'enfant, l'anémie peut occasionner des problèmes de croissance et de comportement. Le fer de source animale, ou fer héminique, se métabolise plus facilement que le fer non héminique, qui n'est pas de source animale et doit idéalement être mangé avec un aliment riche en vitamine C pour être bien assimilé par l'organisme.

Les nourrissons et enfants d'âge préscolaire ont besoin de quantités très élevées de fer. Dans les six premiers mois de sa vie, l'enfant puise le fer dont il a besoin à même les réserves qu'il a accumulées dans le ventre de sa mère, de même que dans le lait maternel ou maternisé. Une nouvelle source de fer doit être introduite après six mois, car les réserves de l'enfant commencent alors à s'épuiser. Les céréales pour bébé enrichies de fer contiennent environ 7 mg de fer par portion de 125 ml (½ tasse). Une ration de 250 ml (1 tasse) de lait maternisé enrichi de fer contient environ 5 mg de fer.

LES APPORTS NUTRITIONNELS DE RÉFÉRENCE EN FER

De 0 à 6 mois : 0,27 mg/jour (ANA)
De 7 à 12 mois : 11 mg/jour (ANA)
De 1 à 3 ans : 7 mg/jour (ANA)

Le bœuf, le poulet et le flétan sont d'excellentes sources de fer héminique. Les meilleures sources de fer non héminique sont la crème de blé, les céréales pour bébé enrichies de fer, les épinards, les pommes de terre, les fèves, les légumineuses, le riz blanc enrichi, le jus de pruneau et le pain de blé entier.

Les matières grasses

Les matières grasses sont source d'énergie. Elles jouent un rôle dans l'absorption des vitamines liposolubles A, D, E et K, fournissent à l'organisme des acides gras essentiels qu'il ne produit pas lui-même et favorisent l'absorption des minéraux.

D'un point de vue calorique, tous les gras sont égaux. Cela dit, certains types de gras sont bons pour la santé alors que d'autres ne le sont pas. Les gras saturés et les gras trans augmentent les risques de maladie cardiaque – les experts estiment que les gras trans sont encore plus néfastes pour la santé que les gras saturés. Les gras monoinsaturés et polyinsaturés, par contre, ne sont pas mauvais pour le cœur.

Les gras saturés et gras trans contenus dans des aliments tels le beurre, le shortening et le gras de viande restent fermes à température ambiante. Bien que la plupart des gras saturés proviennent de source animale, certaines huiles tropicales – l'huile de noix de coco et l'huile de palmiste, par exemple – en contiennent aussi. Quant aux gras trans, on les retrouve dans la viande et les produits laitiers, de même que dans les aliments préparés – biscuits, craquelins, croustilles, etc. – qui renferment de l'huile végétale hydrogénée. Le terme hydrogéné signifie que l'huile liquide a été transformée en un gras solide par l'ajout d'hydrogène ; la matière grasse ainsi obtenue se conserve plus longtemps sans rien perdre de sa saveur. Les aliments frits, notamment les frites et les beignes, contiennent eux aussi des gras trans.

Les gras insaturés sont liquides à température ambiante et peuvent être soit polyinsaturés ou monoinsaturés. On retrouve des gras polyinsaturés dans les fèves soya, le maïs, l'huile de sésame ou de tournesol, ainsi que dans le poisson et l'huile de poisson. L'avocat, l'olive et l'huile d'olive, l'huile de colza (canola), les noix et huiles de noix contiennent, pour leur part, des gras monoinsaturés.

LES APPORTS NUTRITIONNELS DE RÉFÉRENCE EN MATIÈRES GRASSES

De 0 à 6 mois : 31 g/jour (ANA)
De 7 à 12 mois : 30 g/jour (ANA)
De 1 à 18 ans : Données scientifiques insuffisantes pour déterminer l'ANA.

Le sel

Les bébés ne naissent pas avec le goût du salé ; il s'agit là d'un goût acquis chez l'humain. Les enfants en bas âge n'ont pas besoin que l'on ajoute du sel à leurs aliments. Le sel que l'on retrouve naturellement dans les aliments suffit à satisfaire les besoins de l'organisme.

Le sucre

En sucrant la nourriture de votre enfant, vous l'empêchez de s'accoutumer au goût naturel des aliments. Qui plus est, une trop forte consommation de sucre augmente l'incidence de carie dentaire. Vous vous épargnerez donc bien des visites chez le dentiste en limitant la consommation de sucre de votre enfant.

Quand l'enfant fait la fine bouche

Les enfants en bas âge ont souvent des idées très arrêtées en matière de nourriture ; il y a certains aliments dont ils ne peuvent se passer et d'autres qu'ils refusent de manger. Les points suivants vous aideront à gérer la situation quand votre enfant fera la fine bouche :

- Il est normal qu'un enfant soit parfois difficile sur la nourriture. Il s'agit là d'une phase normale de son développement.
- Ne forcez pas votre enfant à manger. Proposez-lui plusieurs aliments sains et laissez-le choisir ce qu'il veut manger et en quelle quantité. Vous lui donnerez ainsi la chance de s'affirmer !
- Votre enfant a un aliment favori qu'il réclame à chaque repas ? Alors donnez-le-lui, du moment, bien sûr, qu'il s'agit d'un aliment sain.
- Introduisez de nouveaux aliments régulièrement, mais sans oublier que ce n'est parfois qu'à la dixième tentative qu'un enfant acceptera de goûter un nouvel aliment.
- Soyez patient et laissez l'enfant manger à son rythme, surtout s'il essaie de maîtriser de nouvelles aptitudes – boire seul, manger avec des ustensiles, etc.
- Ne servez pas de collations juste avant les repas. L'enfant sera plus enclin à essayer de nouveaux aliments s'il a faim.
- Ne pliez pas à tous les caprices de votre enfant. Celui-ci doit apprendre à choisir parmi les aliments que vous lui proposez et non exiger que vous retourniez à vos fourneaux pour lui préparer ce dont il a envie.
- Votre enfant sera plus disposé à accepter les nouveaux aliments si vous le faites participer à la préparation des repas.
- Donnez l'exemple en montrant à l'enfant que vous prenez plaisir à manger les aliments sains que vous avez préparés.

Si votre enfant est difficile et que ses habitudes alimentaires semblent nuire à sa croissance, parlez-en à votre médecin.

Nourriture pour bébé de
six mois et plus

Planification des repas

Il est possible d'introduire les céréales pour bébé, les légumes et les fruits même si vous allaitez encore votre bébé à sa demande. Le lait maternel ou la formule lactée vendu dans le commerce est la meilleure source de protéines, de matière grasse et de plusieurs vitamines et minéraux comme le calcium. À ce stade-ci, les aliments solides sont des compléments au lait maternel (ou maternisé) quotidien. Voir l'introduction pour avoir plus de détails sur la planification des repas.

Repas	*1*	*2*	*3*
Petit-déjeuner	• 2 c. à soupe de céréales pour bébé enrichies de fer • 60 ml (¼ tasse) d'Abricots (p. 27)	• 2 c. à soupe de céréales pour bébé enrichies de fer • 60 ml (¼ tasse) de Nectarines (p. 37)	• 2 c. à soupe de céréales pour bébé enrichies de fer • 60 ml (¼ tasse) de Poires (p. 39)
Collation	• Lait maternel ou préparation lactée pour nourrisson à volonté	• Lait maternel ou préparation lactée pour nourrisson à volonté	• Lait maternel ou préparation lactée pour nourrisson à volonté
Repas du midi	• 60 ml (¼ tasse) de Patates douces (p. 58)	• 60 ml (¼ tasse) de Courge (p. 56)	• 60 ml (¼ tasse) de Panais (p. 53)
Collation	• Lait maternel ou préparation lactée pour nourrisson à volonté	• Lait maternel ou préparation lactée pour nourrisson à volonté	• Lait maternel ou préparation lactée pour nourrisson à volonté
Repas du soir	• 2 c. à soupe de céréales pour bébé enrichies de fer • 60 ml (¼ tasse) de Pommes (p. 26)	• 2 c. à soupe de céréales pour bébé enrichies de fer • 60 ml (¼ tasse) de Courge et haricots verts (p. 83)	• 2 c. à soupe de céréales pour bébé enrichies de fer • 60 ml (¼ tasse) de Tiges et bouquets de brocoli (p. 45)
Collation	• Lait maternel ou préparation lactée pour nourrisson à volonté	• Lait maternel ou préparation lactée pour nourrisson à volonté	• Lait maternel ou préparation lactée pour nourrisson à volonté

Pommes

500 ml (2 tasses)

Les pommes sont une bonne source de fibres, aident à la fonction intestinale et maintiennent un taux de cholestérol bas.

480 g (4 tasses) de pommes, pelées et hachées (environ 4 pommes)
125 ml (½ tasse) d'eau

- Mettre les pommes et l'eau dans une casserole moyenne à feu moyen-doux. Porter à légère ébullition, laisser frémir environ 20 min à couvert et mélanger de temps en temps, jusqu'à ce que les pommes soient tendres.
- Au terme de la cuisson, mettre les pommes dans le mélangeur et réduire en purée onctueuse à vitesse rapide.

INFORMATION NUTRITIONNELLE
Par portion de 60 ml (¼ tasse)

Calories	12 Kcal
Glucides (hydrates de carbone)	3 g
Fibres	1 g
Matière grasse	0 g
Protéines	0 g
Fer	0 mg

Abricots

Les abricots sont riches en bêta-carotène et stimulent l'appétit. Comme le goût des abricots est plus prononcé que celui des pêches ou des nectarines, il est préférable de les mélanger avec les céréales lors du premier essai. Si vous utilisez des abricots séchés, soyez conscients qu'ils agissent comme laxatif léger.

Conseil :

S'il vous est impossible de trouver des abricots frais, remplacez-les par des abricots séchés. Cherchez des fruits qui n'ont pas été traités aux sulfites. Utilisez 2 abricots séchés pour 1 frais. Mettez les abricots séchés dans un bol et recouvrez-les d'eau bouillante. Après 30 min, ils seront réhydratés. Égouttez-les. Ils sont maintenant prêts à utiliser.

480 g (2 tasses) d'abricots
60 ml (¼ tasse) d'eau

- Dans une petite casserole remplie d'eau bouillante, plonger les abricots 30 sec. Retirer les noyaux et hacher.
- Mettre les abricots dans le mélangeur, ajouter l'eau et réduire en purée onctueuse à vitesse rapide.

INFORMATION NUTRITIONNELLE
Par portion de 60 ml (¼ tasse)

Calories	18 Kcal
Glucides (hydrates de carbone)	4 g
Fibres	1 g
Matière grasse	0 g
Protéines	0 g
Fer	0 mg

Bananes

Ce fruit pratique et nutritif est riche en potassium et en vitamine B6.

Conseil:

Disposer des morceaux de bananes sans meurtrissures en une seule couche sur une plaque à pâtisserie et mettre au congélateur. Conserver les morceaux de bananes glacées dans des sacs de congélation jusqu'à 6 mois. Pour obtenir une gâterie glacée, réduire en purée les fruits congelés.

1 banane très mûre

- Mettre la banane dans le mélangeur et réduire en purée onctueuse à vitesse rapide.
- Pour prendre de l'avance, faire une double portion et la conserver dans un contenant hermétique, au réfrigérateur, pour un jour.

INFORMATION NUTRITIONNELLE
Par portion de 60 ml (¼ tasse)

Calories	80 Kcal
Glucides (hydrates de carbone)	20 g
Fibres	2 g
Matière grasse	0 g
Protéines	1 g
Fer	0 mg

Bleuets

On obtient une bonne purée de bleuets, sans cuisson, en les passant au mélangeur à vitesse rapide ; par contre, en procédant de cette façon, le goût sera légèrement âpre.

Conseil :
La purée de bleuets peut se congeler en portions dans un contenant à glaçons (voir Introduction, p. 15) puis être mélangée avec un autre fruit tel que la pomme, la poire ou la banane.

240 g (2 tasses) de bleuets
125 ml (½ tasse) d'eau

- Dans une casserole moyenne, porter à ébullition à feu moyen les bleuets et l'eau. Couvrir, réduire la chaleur et laisser mijoter pendant 15 min, jusqu'à ce que les bleuets soient tendres. Laisser refroidir.
- Mettre les bleuets dans un mélangeur et réduire en purée lisse à vitesse rapide.
- Passer la purée à la passoire à mailles fines en pressant à l'aide d'une cuiller de bois. Cette étape a pour but de retirer les petites graines des fruits et de rendre la purée inoffensive pour votre bébé.

INFORMATION NUTRITIONNELLE
Par portion de 60 ml (¼ tasse)

Calories	20 Kcal
Glucides (hydrates de carbone)	5 g
Fibres	1 g
Matière grasse	0 g
Protéines	0 g
Fer	0 mg

Cerises

500 ml (2 tasses)

Les cerises sucrées d'été constituent le summum des festins.

Conseil :
On peut se procurer des cerises dénoyautées et réfrigérées, qu'on peut congeler en portions pour en profiter à tout temps de l'année.

480 g (2 tasses, environ 1 lb) de cerises rouges ou noires, dénoyautées

• Mettre les cerises dans un mélangeur et réduire en purée lisse à vitesse rapide.

INFORMATION NUTRITIONNELLE
Par portion de 60 ml (¼ tasse)

Calories	18 Kcal
Glucides (hydrates de carbone)	4 g
Fibres	1 g
Matière grasse	0 g
Protéines	0 g
Fer	0 mg

Kiwis

Le kiwi est un fruit antioxydant, riche en vitamines C et E. Sa texture onctueuse et crémeuse est appréciée des tout-petits.

Conseil:
Choisir des kiwis fermes et légèrement tendres au toucher. Les mettre dans un sac de papier brun pour les faire mûrir.

Environ 6 kiwis, pelés et hachés

- Mettre les kiwis dans un mélangeur et réduire en purée lisse à vitesse rapide.
- Cette préparation peut être faite d'avance et être conservée jusqu'à 3 jours dans un contenant à fermeture hermétique au réfrigérateur. Ne pas congeler.

INFORMATION NUTRITIONNELLE
Par portion de 60 ml (¼ tasse)

Calories	27 Kcal
Glucides (hydrates de carbone)	7 g
Fibres	1 g
Matière grasse	0 g
Protéines	0 g
Fer	0 mg
Vitamine C	43 mg

Figues

Les figues fraîches sont une excellente source de potassium et de fibres. Elles ont des propriétés laxatives.

Conseil:
Si votre bébé est sensible à certaines textures, passer la purée à la passoire à mailles fines à l'aide d'une cuiller de bois pour la rendre très onctueuse.

250 g (2 tasses) de figues noires, sans la tige
125 ml (½ tasse) d'eau

- Dans une casserole moyenne, porter à ébullition à feu moyen les figues et l'eau. Couvrir, réduire la chaleur et laisser mijoter pendant 15 min, jusqu'à ce que les figues soient très tendres. Laisser refroidir.
- Mettre les figues dans un mélangeur et réduire en purée lisse à vitesse rapide.

INFORMATION NUTRITIONNELLE
Par portion de 60 ml (¼ tasse)

Calories	37 Kcal
Glucides (hydrates de carbone)	10 g
Fibres	2 g
Matière grasse	0 g
Protéines	0 g
Fer	0 mg

Mangue

La consommation de mangue favorisera la régularité intestinale et combattra les infections. Par contre, la peau de la mangue peut irriter la bouche des bébés ; il faut toujours la peler.

Conseil :

Les mangues à pelure rouge et jaune devraient être légèrement tendres au toucher et sans imperfections. Si les mangues sont très fibreuses, passer la purée à la passoire à mailles fines à l'aide d'une cuiller de bois pour la rendre plus crémeuse et onctueuse.

480 g (3 tasses) de mangues, pelées et hachées (environ 2 grosses mangues)
60 ml (¼ tasse) d'eau

• Mettre les mangues dans un mélangeur et réduire en purée lisse à vitesse rapide.

INFORMATION NUTRITIONNELLE
Par portion de 60 ml (¼ tasse)

Calories	27 Kcal
Glucides (hydrates de carbone)	7 g
Fibres	1 g
Matière grasse	0 g
Protéines	0 g
Fer	0 mg

Melon d'eau

500 ml (2 tasses)

La grande quantité d'eau contenue dans les melons est très rafraîchissante pour les petits palais.

350 g (2 ½ tasses) de melon d'eau, épépiné et haché

- Mettre le melon d'eau dans un mélangeur et réduire en purée lisse à vitesse rapide.

INFORMATION NUTRITIONNELLE	
Par portion de 60 ml (¼ tasse)	
Calories	15 Kcal
Glucides (hydrates de carbone)	3 g
Fibres	0 g
Matière grasse	0 g
Protéines	0 g
Fer	0 mg

Papaye

La papaye est une excellente source de vitamine C, vitamine A et de potassium.

Conseil:
Éviter les papayes fermes et vertes ; elles n'auront pas de saveur et ne mûriront pas.

480 g (3 tasses) de papaye, pelée et hachée (environ 2)
60 ml (¼ tasse) d'eau

• Mettre la papaye et l'eau dans un mélangeur et réduire en purée lisse à vitesse rapide.

INFORMATION NUTRITIONNELLE
Par portion de 60 ml (¼ tasse)

Calories	20 Kcal
Glucides (hydrates de carbone)	5 g
Fibres	1 g
Matière grasse	0 g
Protéines	0 g
Fer	0 mg
Vitamine C	32 mg

Melon

Le melon est une excellente source de vitamine A. Il contient aussi de la vitamine C et du calcium. Il a une saveur douce et sucrée que les bébés apprécient.

Conseil:

Choisir des melons sans défauts et lourds pour leur grosseur; vous obtiendrez un fruit très parfumé.

½ cantaloup ou melon miel, pelé et coupé en cubes

- Mettre les morceaux de melon dans un mélangeur et réduire en purée lisse à vitesse rapide.

INFORMATION NUTRITIONNELLE
Par portion de 60 ml (¼ tasse)

Calories	5 Kcal
Glucides (hydrates de carbone)	1 g
Fibres	0 g
Matière grasse	0 g
Protéines	0 g
Fer	0 mg

Nectarines

500 ml (2 tasses)

Choisir des nectarines gorgées de chair : elles contiendront plus de jus. Elles doivent être fermes mais pas trop dures et tachetées de rouge.

Conseil :

Si l'on préfère peler les nectarines avant de faire la purée, on doit les blanchir 30 sec dans une casserole remplie d'eau bouillante et les mettre ensuite dans l'eau glacée. La pelure se retirera facilement à l'aide de la pointe d'un couteau bien affûté.

390 g (3 tasses) de nectarines, hachées (environ 4)
60 ml (¼ tasse) d'eau

- Mettre les morceaux de nectarines et l'eau dans un mélangeur et réduire en purée lisse à vitesse rapide.

INFORMATION NUTRITIONNELLE Par portion de 60 ml (¼ tasse)	
Calories	17 Kcal
Glucides (hydrates de carbone)	4 g
Fibres	1 g
Matière grasse	0 g
Protéines	0 g
Fer	0 mg

Pêches

500 ml (2 tasses)

Les pêches se gâtent très facilement, alors il est préférable d'acheter seulement la quantité qu'on aura à utiliser. On doit les manipuler avec soin pour ne pas les meurtrir. Les conserver à température ambiante jusqu'au moment de s'en servir.

Conseil:

S'il vous est impossible de trouver des pêches fraîches, utilisez environ 480 g (3 tasses) de pêches en tranches, non additionnées de sucre et congelées.

4 pêches
125 ml (½ tasse) d'eau

- Dans une petite casserole remplie d'eau bouillante, blanchir les pêches 30 sec et les plonger ensuite dans l'eau glacée. Peler, dénoyauter et hacher.
- Mettre les morceaux de pêches dans un mélangeur et réduire en purée lisse à vitesse rapide.

INFORMATION NUTRITIONNELLE Par portion de 60 ml (¼ tasse)	
Calories	18 Kcal
Glucides (hydrates de carbone)	5 g
Fibres	1 g
Matière grasse	0 g
Protéines	0 g
Fer	0 mg

Poires

500 ml (2 tasses)

Les poires sont une source de fibres solubles sucrées.

Conseil:

Des poires très mûres peuvent être lavées, pelées, épépinées, hachées et passées au mélangeur sans être cuites.

360 g (3 tasses) de poires, pelées et hachées
125 ml (½ tasse) d'eau

- Dans une casserole moyenne, à feu moyen-doux, porter à ébullition les poires et l'eau. Réduire la chaleur et laisser mijoter à couvert environ 20 min, en mélangeant de temps en temps, jusqu'à ce que les poires soient très tendres. Laisser refroidir.
- Mettre les poires dans un mélangeur et réduire en purée lisse à vitesse rapide.

INFORMATION NUTRITIONNELLE Par portion de 60 ml (¼ tasse)	
Calories	24 Kcal
Glucides (hydrates de carbone)	6 g
Fibres	1 g
Matière grasse	0 g
Protéines	0 g
Fer	0 mg

Prunes

500 ml (2 tasses)

Comme les pruneaux et les abricots, les prunes ont une propriété laxative. On obtient une excellente compote ou purée quand elles sont mûres et bien sucrées.

Conseil:

Recherchez des prunes recouvertes d'un léger film poudreux. Ceci est un signe qu'elles ont été très peu manipulées.

510 g (3 tasses) de prunes, hachées
125 ml (½ tasse) d'eau

- Dans une casserole moyenne, à feu moyen-doux, porter à ébullition les prunes et l'eau. Réduire la chaleur et laisser mijoter à couvert environ 20 min, en mélangeant de temps en temps, jusqu'à ce que les prunes soient très tendres. Laisser refroidir.
- Mettre les prunes dans un mélangeur et réduire en purée lisse à vitesse rapide.

INFORMATION NUTRITIONNELLE
Par portion de 60 ml (¼ tasse)

Calories	23 Kcal
Glucides (hydrates de carbone)	5 g
Fibres	1 g
Matière grasse	0 g
Protéines	0 g
Fer	0 mg

Pruneaux

500 ml (2 tasses)

Les pruneaux sont un laxatif naturel et ils devraient être consommés avec modération, à moins d'avoir des problèmes de constipation.

Conseil :

Si votre bébé est sensible à certaines textures, passer la purée à la passoire à mailles fines à l'aide d'une cuiller de bois pour la rendre très onctueuse.

270 g (1 ½ tasse) de pruneaux, dénoyautés
125 ml (½ tasse) d'eau

- Dans une casserole moyenne, à feu moyen-doux, porter à ébullition les pruneaux et l'eau. Réduire la chaleur et laisser mijoter à couvert environ 15 min, jusqu'à ce que les pruneaux soient très tendres. Laisser refroidir.
- Mettre les pruneaux dans un mélangeur et réduire en purée lisse à vitesse rapide.

INFORMATION NUTRITIONNELLE
Par portion de 60 ml (¼ tasse)

Calories	75 Kcal
Glucides (hydrates de carbone)	20 g
Fibres	2 g
Matière grasse	0 g
Protéines	1 g
Fer	0 mg

mélange :
- pruneau + pommes
- pr. + poires

Fraises, framboises ou mûres

500 ml (2 tasses)

Surveillez bien la digestion de votre bébé après qu'il ait mangé des baies. Elles peuvent créer des maux de ventre. Essayez les baies après avoir essayé les autres fruits et légumes, quand le système digestif est plus développé.

Conseil:
Utilisez des portions égales de baies congelées quand il est impossible d'en trouver des fraîches.

200 g (2 tasses) de mûres, de framboises ou de fraises, en tranches
125 ml (½ tasse) d'eau

- Mettre les petits fruits dans un mélangeur et réduire en purée lisse à vitesse rapide.
- Passer la purée à la passoire à mailles fines et presser à l'aide d'une cuiller de bois pour retirer les graines.

INFORMATION NUTRITIONNELLE
Par portion de 60 ml (¼ tasse)

Fraises

Calories	11 Kcal
Glucides (hydrates de carbone)	3 g
Fibres	1 g
Matière grasse	0 g
Protéines	1 g
Fer	0 mg
Vitamine C	21 mg

Framboises

Calories	16 Kcal
Glucides (hydrates de carbone)	4 g
Fibres	2 g
Matière grasse	0 g
Protéines	0 g
Fer	0 mg

Mûres

Calories	19 Kcal
Glucides (hydrates de carbone)	5 g
Fibres	2 g
Matière grasse	0 g
Protéines	0 g
Fer	0 mg

Avocats

60 ml (¼ tasse)

L'avocat contient beaucoup de bonnes matières grasses, essentielles à la croissance et au développement de l'enfant. Quand les avocats sont très mûrs, ils peuvent être pelés et directement dégustés. Les enfants adorent leur texture crémeuse.

Conseil :

L'avocat s'oxyde et change de couleur très rapidement une fois ouvert. Il est donc préférable de consommer la purée d'avocats le plus rapidement possible.

40 g (¼ tasse) d'avocats, pelés et hachés

- Mettre les avocats dans un mélangeur et réduire en purée lisse à vitesse rapide.

INFORMATION NUTRITIONNELLE
Par portion de 60 ml (¼ tasse)

Calories	59 Kcal
Glucides (hydrates de carbone)	3 g
Fibres	1 g
Matière grasse	6 g
Protéines	1 g
Fer	0 mg

Betteraves

500 ml (2 tasses)

Les betteraves sont très faciles à digérer et elles stimulent l'appétit. Elles peuvent modifier la couleur de l'urine, c'est normal. Les betteraves peuvent aussi tacher certains de vos ustensiles de cuisine. Il est important de le savoir.

400 g (2 tasses) de betteraves, pelées et hachées
125 ml (½ tasse) d'eau

- Dans une casserole moyenne, porter à ébullition à feu moyen les betteraves et l'eau. Couvrir, réduire la chaleur et laisser mijoter environ 20 min, jusqu'à ce que les betteraves soient tendres. Laisser refroidir.
- Mettre les betteraves dans un mélangeur et réduire en purée lisse à vitesse rapide.

INFORMATION NUTRITIONNELLE	
Par portion de 60 ml (¼ tasse)	
Calories	15 Kcal
Glucides (hydrates de carbone)	1 g
Fibres	1 g
Matière grasse	0 g
Protéines	1 g
Fer	0 mg

Tiges et bouquets de brocoli

500 ml (2 tasses)

Le brocoli cuit est une excellente source de vitamine C et de potassium.

Conseil :
Utiliser un éplucheur pour retirer la peau fibreuse des tiges de brocoli.

Quand votre bébé aura aimé la saveur des tiges de brocoli, utiliser la même méthode de cuisson pour 250 g (2 1/2 tasses) de bouquets de brocoli. La texture des bouquets est moins intéressante pour les jeunes enfants.

150 g (1 ½ tasse) de tiges de brocoli, pelées et coupées en tranches (voir Conseil)
250 ml (1 tasse) d'eau

- Dans une casserole moyenne, porter à ébullition à feu moyen le brocoli et l'eau. Couvrir, réduire la chaleur et laisser mijoter environ 15 min, jusqu'à ce que le brocoli soit très tendre. Laisser refroidir.
- Mettre le brocoli dans un mélangeur et réduire en purée lisse à vitesse rapide.

INFORMATION NUTRITIONNELLE
Par portion de 60 ml (¼ tasse)

Calories	8 Kcal
Glucides (hydrates de carbone)	1 g
Fibres	0 g
Matière grasse	0 g
Protéines	1 g
Fer	0 mg
Vitamine C	26 mg

Chou

500 ml (2 tasses)

Le chou vert, rouge, de Savoie, le Napa et le bok choï sont des variétés très nutritives. Chaque variété se cuisine de la même manière.

540 g (3 tasses) de chou, émincé

- Mettre le chou dans un bain-marie sur une grande casserole remplie d'eau bouillante. Couvrir et laisser cuire à la vapeur de 15 à 20 min, jusqu'à ce qu'il soit très tendre. Laisser refroidir.
- Mettre le chou dans un mélangeur et réduire en purée lisse à vitesse rapide. Ajouter de l'eau au besoin.

INFORMATION NUTRITIONNELLE
Par portion de 60 ml (¼ tasse)

Calories	8 Kcal
Glucides (hydrates de carbone)	2 g
Fibres	1 g
Matière grasse	0 g
Protéines	0 g
Fer	0 mg

Carottes

500 ml (2 tasses)

Les carottes sont naturellement sucrées et la cuisson maximise le potentiel nutritif et la saveur.

Conseil :
À l'achat des carottes, retirer les tiges vertes parce qu'elles tirent les nutriments du légume.

200 g (2 tasses) de carottes, pelées et émincées
250 ml (1 tasse) d'eau

- Dans une casserole moyenne, porter à ébullition à feu moyen les carottes et l'eau. Couvrir, réduire la chaleur et laisser mijoter environ 15 min, jusqu'à ce que les carottes soient très tendres. Laisser refroidir.
- Mettre les carottes dans un mélangeur et réduire en purée lisse à vitesse rapide.

INFORMATION NUTRITIONNELLE
Par portion de 60 ml (¼ tasse)

Calories	14 Kcal
Glucides (hydrates de carbone)	3 g
Fibres	1 g
Matière grasse	0 g
Protéines	0 g
Fer	0 mg

Chou-fleur

500 ml (2 tasses)

Le chou-fleur est le plus digeste de la famille du chou, aussi appelé famille des crucifères, comprenant le brocoli, le chou de Bruxelles, le chou cavalier et le chou-rave.

Conseil :

Ajouter à l'eau de cuisson un morceau de pain pour absorber l'odeur du chou-fleur. Retirer le pain avant de passer le tout au mélangeur.

150 g (1 ½ tasse) de bouquets de chou-fleur
250 ml (1 tasse) d'eau

- Dans une casserole moyenne, porter à ébullition à feu moyen le chou-fleur et l'eau. Couvrir, réduire la chaleur et laisser mijoter environ 10 min, jusqu'à ce que le chou-fleur soit très tendre. Laisser refroidir.
- Mettre le chou-fleur dans un mélangeur et réduire en purée lisse à vitesse rapide.

INFORMATION NUTRITIONNELLE
Par portion de 60 ml (¼ tasse)

Calories	8 Kcal
Glucides (hydrates de carbone)	2 g
Fibres	1 g
Matière grasse	0 g
Protéines	0 g
Fer	0 mg

Maïs

Il est préférable d'acheter le maïs en épi frais dans son enveloppe, sinon il périra rapidement. Pour confirmer sa fraîcheur, la soie du maïs en épi doit sembler humide au toucher et les grains doivent être fermes et produire un liquide laiteux quand on les perce. Éplucher l'épi et à l'aide d'un couteau bien affûté, retirer les grains le long de l'épi et cuire immédiatement.

Conseil:

Hors saison, substituer le maïs frais pour du maïs congelé.

360 g (2 tasses) de maïs en grains frais ou congelé
125 ml (½ tasse) d'eau

- Dans une casserole moyenne, porter à ébullition à feu moyen le maïs et l'eau. Couvrir, réduire la chaleur et laisser mijoter environ 3 min, jusqu'à ce que le maïs soit très tendre. Laisser refroidir.
- Mettre le maïs dans un mélangeur et réduire en purée lisse à vitesse rapide.

INFORMATION NUTRITIONNELLE
Par portion de 60 ml (¼ tasse)

Calories	49 Kcal
Glucides (hydrates de carbone)	12 g
Fibres	1 g
Matière grasse	0 g
Protéines	2 g
Fer	0 mg

Concombre

Le concombre est rafraîchissant et a un goût très doux. Il est recommandé de le peler pour satisfaire les tout-petits.

Conseil:
Conserver la purée de concombre dans un contenant à fermeture hermétique au réfrigérateur pas plus de 3 jours. Ne pas congeler.

195 g (1 ½ tasse) de concombre, pelé, épépiné et coupé en cubes

- Mettre le concombre dans un mélangeur et réduire en purée lisse à vitesse rapide.

INFORMATION NUTRITIONNELLE
Par portion de 60 ml (¼ tasse)

Calories	7 Kcal
Glucides (hydrates de carbone)	2 g
Fibres	0 g
Matière grasse	0 g
Protéines	0 g
Fer	0 mg

Haricots verts

On doit choisir de jeunes haricots, car ils sont plus tendres et moins fibreux. Sinon, il est important de retirer les fibres. Les haricots fins donneront une purée beaucoup plus onctueuse.

Conseil:

Hors saison, substituer les haricots verts frais pour des congelés.

Pour obtenir une texture encore plus délicate et tendre pour les palais plus difficiles, passer la purée dans une passoire à mailles fines à l'aide d'une cuiller de bois.

300 g (3 tasses) de haricots verts, équeutés et coupés en deux
500 ml (2 tasses) d'eau

- Mettre les haricots et l'eau dans une grande casserole, et porter à ébullition à feu moyen-élevé. Couvrir, réduire la chaleur et laisser mijoter doucement environ 15 min, jusqu'à ce que les haricots soient tendres. Laisser refroidir.
- Mettre les haricots dans un mélangeur et réduire en purée lisse à vitesse rapide.

INFORMATION NUTRITIONNELLE Par portion de 60 ml (¼ tasse)	
Calories	13 Kcal
Glucides (hydrates de carbone)	3 g
Fibres	1 g
Matière grasse	0 g
Protéines	1 g
Fer	0 mg

Légumes en feuilles foncées

500 ml (2 tasses)

Les feuilles de betteraves, de chou cavalier, de moutarde, de bette font toutes partie de la même famille et sont une excellente source de vitamine A.

280 g (6 tasses) de légumes en feuilles foncées, équeutés, sans les nervures et coupés en morceaux
125 ml (½ tasse) d'eau

- Mettre les feuilles dans une grande poêle antiadhésive. Verser l'eau et cuire à couvert à feu moyen-élevé environ 15 min, en mélangeant de temps en temps, jusqu'à ce que les légumes soient cuits. Laisser refroidir.
- Mettre la préparation dans un mélangeur et réduire en purée lisse à vitesse rapide. Ajouter de l'eau au besoin.

INFORMATION NUTRITIONNELLE	
Par portion de 60 ml (¼ tasse)	
Calories	34 Kcal
Glucides (hydrates de carbone)	7 g
Fibres	1 g
Matière grasse	0 g
Protéines	2 g
Fer	1 mg
Vitamine C	80 mg

Panais

500 ml (2 tasses)

Comme plusieurs légumes-racine, le panais a ce goût sucré et doux qu'aiment les enfants.

360 g (2 tasses) de panais, pelés et hachés
250 ml (1 tasse) d'eau

- Mettre les panais et l'eau dans une casserole et porter à ébullition à feu moyen-élevé. Couvrir, réduire la chaleur et laisser mijoter doucement environ 20 min, jusqu'à ce qu'ils soient tendres. Laisser refroidir.
- Mettre les panais dans un mélangeur et réduire en purée lisse à vitesse rapide.

INFORMATION NUTRITIONNELLE
Par portion de 60 ml (¼ tasse)

Calories	25 Kcal
Glucides (hydrates de carbone)	6 g
Fibres	2 g
Matière grasse	0 g
Protéines	0 g
Fer	0 mg

Citrouille

500 ml (2 tasses)

Le goût de la citrouille diffère de celui de la courge. Les enfants adoreront.

Conseil:

On peut congeler des cubes de citrouille en les disposant en une seule couche sur une plaque à pâtisserie. Quand les dés de citrouille sont congelés, les mettre dans un sac de congélation à fermeture hermétique. Ils se conserveront pendant une année.

450 g (3 tasses) de citrouille, pelée et coupée en cubes
250 ml (1 tasse) d'eau

- Mettre la citrouille et l'eau dans une grande casserole et porter à ébullition à feu moyen-élevé. Couvrir, réduire la chaleur et laisser mijoter doucement environ 25 min, jusqu'à ce que la citrouille soit très tendre. Laisser refroidir.
- Mettre la citrouille et l'eau de cuisson dans un mélangeur et réduire en purée lisse à vitesse rapide.

INFORMATION NUTRITIONNELLE
Par portion de 60 ml (¼ tasse)

Calories	8 Kcal
Glucides (hydrates de carbone)	2 g
Fibres	0 g
Matière grasse	0 g
Protéines	0 g
Fer	0 mg

Épinards

Bien laver les épinards et ne pas trop les cuire car cela ferait ressortir l'amertume. Jeter les feuilles dures ou défraîchies.

Conseil :
À défaut d'épinards frais, on peut utiliser des épinards congelés ou même des jeunes pousses d'épinards crues.

200 g (4 tasses) de feuilles fraîches d'épinard
125 ml (½ tasse) d'eau

- Laver les épinards dans un bassin d'eau froide en changeant l'eau à quelques reprises. Équeuter, retirer les nervures et hacher grossièrement.
- Mettre les épinards dans un grand poêlon antiadhésif. Verser l'eau, couvrir et cuire à feu moyen-élevé environ 5 min, jusqu'à ce qu'ils soient attendris et brillants, tout en remuant de temps en temps. Laisser refroidir.
- Mettre les épinards dans un mélangeur et réduire en purée lisse à vitesse rapide.

INFORMATION NUTRITIONNELLE
Par portion de 60 ml (¼ tasse)

Calories	3 Kcal
Glucides (hydrates de carbone)	1 g
Fibres	0 g
Matière grasse	0 g
Protéines	0 g
Fer	0 mg

Courge

À l'automne, grâce à une grande variété de courge, il est simple de créer une purée pour les tout-petits.

Conseil:
On peut utiliser des cubes de courge congelés quand le temps nous manque.

450 g (3 tasses) de courge musquée ou de courgeron, pelé et coupé en cubes
250 ml (1 tasse) d'eau

- Mettre la courge et l'eau dans une casserole moyenne et porter à ébullition à feu moyen-élevé. Couvrir, réduire la chaleur et laisser mijoter doucement environ 20 min, jusqu'à ce que la courge soit très tendre. Laisser refroidir.
- Mettre la courge et l'eau de cuisson dans un mélangeur et réduire en purée lisse à vitesse rapide.

INFORMATION NUTRITIONNELLE
Par portion de 60 ml (¼ tasse)

Calories	12 Kcal
Glucides (hydrates de carbone)	3 g
Fibres	0 g
Matière grasse	0 g
Protéines	0 g
Fer	0 mg

Pois sucrés

500 ml (2 tasses)

Si les pois dans leurs cosses ne sont pas tout à fait ce que vous recherchez, dites-vous que les pois congelés offrent la même valeur nutritive sans avoir à les écosser.

Conseil :
Si la texture ne plaît pas au bébé, passer la préparation dans une passoire à mailles fines à l'aide d'une cuiller de bois afin d'obtenir une purée encore plus onctueuse.

480 g (3 tasses) de pois sucrés frais ou congelés
500 ml (2 tasses) d'eau

- Mettre les pois et l'eau dans une grande casserole et porter à ébullition à feu moyen-élevé. Couvrir, réduire la chaleur et laisser mijoter doucement environ 5 min, jusqu'à ce que les pois soient tendres. Laisser refroidir.
- Mettre les pois dans un mélangeur et réduire en purée lisse à vitesse rapide.

INFORMATION NUTRITIONNELLE
Par portion de 60 ml (¼ tasse)

Calories	42 Kcal
Glucides (hydrates de carbone)	7 g
Fibres	3 g
Matière grasse	0 g
Protéines	3 g
Fer	1 mg

Patates douces

500 ml (2 tasses)

Les patates douces, les carottes, les mangues et tous les autres fruits et légumes de couleur orange sont riches en bêta-carotène et une fois absorbés, le corps transforme cette matière en vitamine A. La vitamine A est importante pour la vision, la croissance des os, la reproduction et la division des cellules.

750 g (3 tasses) de patates douces, pelées et coupées en cubes
250 ml (1 tasse) d'eau

- Mettre les patates douces et l'eau dans une casserole moyenne et porter à ébullition à feu moyen-élevé. Couvrir, réduire la chaleur et laisser mijoter doucement environ 20 min, jusqu'à ce que les patates soient très tendres. Laisser refroidir.
- Mettre les patates dans un mélangeur et réduire en purée onctueuse à vitesse rapide.

INFORMATION NUTRITIONNELLE
Par portion de 60 ml (¼ tasse)

Calories	26 Kcal
Glucides (hydrates de carbone)	6 g
Fibres	1 g
Matière grasse	0 g
Protéines	0 g
Fer	0 mg

Navets

500 ml (2 tasses)

Cette plante potagère est de couleur blanche, teintée de violet ou de rouge et a la grosseur d'une betterave. En Amérique de Nord, on la compare au rutabaga. Par contre, le rutabaga est plus gros, il a une chair jaune et est plus difficile à digérer pour les petits estomacs.

360 g (2 tasses) de navet blanc, pelé et haché
250 ml (1 tasse) d'eau

- Mettre le navet et l'eau dans une casserole moyenne et porter à ébullition à feu moyen-élevé. Couvrir, réduire la chaleur et laisser mijoter doucement environ 15 min, jusqu'à ce que le navet soit très tendre. Laisser refroidir.
- Mettre le navet dans un mélangeur et réduire en purée onctueuse à vitesse rapide.

INFORMATION NUTRITIONNELLE
Par portion de 60 ml (¼ tasse)

Calories	9 Kcal
Glucides (hydrates de carbone)	2 g
Fibres	1 g
Matière grasse	0 g
Protéines	0 g
Fer	0 mg

Courgettes vertes ou jaunes

500 ml (2 tasses)

Choisir de petites courgettes avec une pelure mince ; ils seront plus tendres et auront une douce saveur sucrée.

Conseil :
Bien brosser les courgettes, couper les extrémités et ne pas peler. La pelure contient beaucoup de nutriments et offrira une couleur agréable à la préparation.

360 g (3 tasses) de courgettes vertes ou jaunes, en tranches

- Mettre les courgettes dans une marguerite, verser de l'eau dans la casserole, porter à ébullition et cuire à la vapeur à couvert les courgettes environ 15 min ou jusqu'à ce qu'elles soient très tendres.
- Mettre les courgettes dans un mélangeur et réduire en purée onctueuse à vitesse rapide.

INFORMATION NUTRITIONNELLE
Par portion de 60 ml (¼ tasse)

Calories	5 Kcal
Glucides (hydrates de carbone)	1 g
Fibres	0 g
Matière grasse	0 g
Protéines	0 g
Fer	0 mg

Bouillie de pommes et de canneberges

500 ml (2 tasses)

À l'automne, les pommes apportent du mordant à la tarte aux canneberges.

Conseil:

Les canneberges sont reconnues pour prévenir les infections urinaires.

480 g (4 tasses) de pommes, pelées et coupées en tranches
60 g (½ tasse) de canneberges fraîches ou congelées
125 ml (½ tasse) de jus de pomme sucré
1 c. à café (1 c. à thé) de cannelle moulue

- Mettre tous les ingrédients dans une casserole moyenne et porter à ébullition à feu moyen-élevé. Couvrir, réduire la chaleur et laisser mijoter doucement environ 25 min, jusqu'à ce que les pommes soient très tendres. Laisser refroidir.
- Mettre la préparation dans un mélangeur et réduire en purée onctueuse à vitesse rapide.

INFORMATION NUTRITIONNELLE	
Par portion de 60 ml (¼ tasse)	
Calories	44 Kcal
Glucides (hydrates de carbone)	11 g
Fibres	2 g
Matière grasse	0 g
Protéines	0 g
Fer	0 mg

Orange, orange et orange

500 ml (2 tasses)

Les fruits et les légumes de couleur orange contiennent généralement du bêta-carotène et de la vitamine C… une triple dose de saveur!

Conseil:
Remplacer le jus d'orange par de l'eau pour les tout-petits. L'acidité contenue dans les oranges pourrait causer des irritations à l'estomac.

Pour les enfants plus grands:
Ajouter à la recette de base une pincée de cari et 500 ml (2 tasses) de bouillon de volaille ou de légumes. On obtiendra une très bonne soupe. Servir avec des petits pains chauds de blé entier.

100 g (1 tasse) de carottes, pelées et coupées en dés
250 g (1 tasse) de patates douces, pelées et coupées en dés
65 g (½ tasse) de poires, pelées et coupées en dés
125 ml (½ tasse) de jus d'orange (voir Conseil)
125 ml (½ tasse) d'eau

- Mettre tous les ingrédients dans une casserole moyenne et porter à ébullition à feu moyen-élevé. Couvrir, réduire la chaleur et laisser mijoter doucement environ 20 min, jusqu'à ce que les légumes soient très tendres. Laisser refroidir.
- Mettre la préparation et le liquide de cuisson dans un mélangeur et réduire en purée onctueuse à vitesse rapide. Ajouter de l'eau au besoin pour obtenir la consistance voulue.

INFORMATION NUTRITIONNELLE
Par portion de 60 ml (¼ tasse)

Calories	71 Kcal
Glucides (hydrates de carbone)	12 g
Fibres	1 g
Matière grasse	2 g
Protéines	1 g
Fer	0 mg

Pêches et cerises

500 ml (2 tasses)

Conseil :
Acheter des cerises dénoyautées pendant l'été et les conserver en portions individuelles au congélateur. Elles seront utiles pendant toute l'année.

Pour les enfants plus grands :
On peut transformer la préparation en sucettes glacées (*popsicle*). Les plus grands adoreront!

320 g (2 tasses) de pêches, pelées et coupées en tranches
180 g (1 tasse) de griottes, dénoyautées
125 ml (½ tasse) de nectar de pêche

- Combiner tous les ingrédients dans un mélangeur et réduire en purée onctueuse à vitesse rapide.

INFORMATION NUTRITIONNELLE
Par portion de 60 ml (¼ tasse)

Calories	36 Kcal
Glucides (hydrates de carbone)	9 g
Fibres	1 g
Matière grasse	0 g
Protéines	1 g
Fer	0 mg

Bananarama aux pêches et aux poires

750 ml (3 tasses)

Pour les enfants plus grands :
Pour un goûter spécial, verser la purée dans un bol rempli de gruau et saupoudrer de cannelle moulue.

240 g (1 ½ tasse) de pêches, pelées et coupées en dés

130 g (1 tasse) de poires, pelées et coupées en dés

1 banane, coupée en tranches

- Combiner tous les ingrédients dans un mélangeur et réduire en purée onctueuse à vitesse rapide.

INFORMATION NUTRITIONNELLE Par portion de 60 ml (¼ tasse)	
Calories	29 Kcal
Glucides (hydrates de carbone)	7 g
Fibres	1 g
Matière grasse	0 g
Protéines	0 g
Fer	0 mg

Risotto à la courge et aux poivrons, p. 94

Couscous aux agrumes, p. 98

Paella végétarienne, p. 99

Poires et figues

Les figues sont riches en potassium et en fibres ; jumellées à la douceur sucrée des poires (elles aussi, riches en fibre), ce mélange nous donne une excellente purée à tartiner autant pour les enfants que pour les adultes.

195 g (1 ½ tasse) de poires, pelées et coupées en dés
175 ml (¾ tasse) de jus d'orange non additionné de sucre
100 g (½ tasse) de figues, sans la tige et coupées en dés
¼ c. à café (¼ c. à thé) de piment de la Jamaïque

- Mettre tous les ingrédients dans une casserole moyenne et porter à légère ébullition à feu moyen-doux. Couvrir, réduire la chaleur et laisser mijoter doucement environ 20 min, jusqu'à ce que les poires et les figues soient très tendres. Laisser refroidir.
- Mettre la préparation dans un mélangeur et réduire en purée onctueuse à vitesse rapide.

INFORMATION NUTRITIONNELLE
Par portion de 60 ml (¼ tasse)

Calories	44 Kcal
Glucides (hydrates de carbone)	11 g
Fibres	1 g
Matière grasse	0 g
Protéines	0 g
Fer	0 mg

Bouillie de poires mauve

500 ml (2 tasses)

C'est la couleur pourpre qui fait le secret de cette recette. Cette purée demeurera tout au long de la croissance du bébé une de ses préférées. Il se peut que cette purée colore l'urine du bébé, il ne faut donc pas s'inquiéter.

Conseil:
Éviter d'acheter des betteraves allongées. Elles sont plus fibreuses et ne donnent pas à la purée une texture douce.

Utiliser des gants pour peler les betteraves afin d'éviter de se tacher les mains (en cas d'oubli, utiliser du jus de citron).

170 g (1 tasse) de betteraves, pelées et coupées en dés
170 g (1 tasse) de poires, pelées et coupées en dés
125 ml (½ tasse) de jus de pomme non additionné de sucre

- Mettre tous les ingrédients dans une casserole moyenne et porter à légère ébullition à feu doux. Couvrir, réduire la chaleur et laisser mitonner doucement environ 20 min, jusqu'à ce que les poires et les figues soient très tendres. Laisser refroidir.
- Mettre la préparation dans un mélangeur et réduire en purée onctueuse à vitesse rapide.

INFORMATION NUTRITIONNELLE
Par portion de 60 ml (¼ tasse)

Calories	27 Kcal
Glucides (hydrates de carbone)	7 g
Fibres	1 g
Matière grasse	0 g
Protéines	0 g
Fer	0 mg

Melon en folie

Le mélange de melons deviendra une collation rafraîchissante pour bébé.

Conseil :
Pour peler le melon, couper d'abord en deux. Conserver un demi-melon pour une autre recette. Couper ensuite un demi-melon en quartiers sur la longueur. Peler les quartiers et dénoyauter au besoin.

Choisir un melon assez lourd pour sa grosseur, avec une bonne odeur et une belle pelure sans défauts.

Pour les enfants plus grands :
Pour obtenir une collation glacée, faire congeler les différents morceaux de melon non utilisés dans un sac de plastique à fermeture hermétique. Mettre les morceaux congelés dans un mélangeur et réduire en purée onctueuse à vitesse rapide.

140 g (1 tasse) de cantaloup, en dés
140 g (1 tasse) de melon miel, en dés
140 g (1 tasse) de melon d'eau, dénoyauté et coupé en dés

- Combiner tous les ingrédients dans un mélangeur et réduire en purée onctueuse à vitesse rapide.

INFORMATION NUTRITIONNELLE
Par portion de 60 ml (¼ tasse)

Calories	21 Kcal
Glucides (hydrates de carbone)	5 g
Fibres	0 g
Matière grasse	0 g
Protéines	0 g
Fer	0 mg

Melon d'eau rafraîchissant

500 ml (2 tasses)

Ce mélange de fruits nous donne tout naturellement un goûter désaltérant.

Pour les enfants plus grands :
On peut transformer la purée en sucettes glacées (*popsicle*).

280 g (2 tasses) de melon d'eau, dénoyauté et coupé en dés
65 g (½ tasse) de kiwi, pelé et coupé en dés
100 g (½ tasse) de fraises, en tranches
1 c. à soupe de jus de citron vert frais pressé

- Combiner tous les ingrédients dans un mélangeur et réduire en purée onctueuse à vitesse rapide.

INFORMATION NUTRITIONNELLE
Par portion de 60 ml (¼ tasse)

Calories	22 Kcal
Glucides (hydrates de carbone)	5 g
Fibres	1 g
Matière grasse	0 g
Protéines	0 g
Fer	0 mg

Pommes, rhubarbe et baies

500 ml (2 tasses)

Conseil:

Hors saison, utiliser la même quantité de baies congelées.

240 g (2 tasses) de pommes, pelées et coupées en tranches
120 g (1 tasse) de rhubarbe, hachée (environ 2 tiges)
30 g (¼ tasse) de framboises et/ou de bleuets
60 ml (¼ tasse) de jus de pomme concentré congelé

- Mettre tous les ingrédients dans une casserole moyenne, porter à légère ébullition à feu moyen-doux. Couvrir et laisser mijoter doucement environ 30 min, en remuant occasionnellement, jusqu'à ce que les fruits soient tendres. Laisser refroidir.
- Mettre la préparation dans un mélangeur et réduire en purée onctueuse à vitesse rapide.

INFORMATION NUTRITIONNELLE
Par portion de 60 ml (¼ tasse)

Calories	36 Kcal
Glucides (hydrates de carbone)	9 g
Fibres	1 g
Matière grasse	0 g
Protéines	0 g
Fer	0 mg

Décadence aux fraises

500 ml (2 tasses)

Les abricots font de cette purée aux fraises un pur délice!

Conseil:
Les abricots sont une excellente source de vitamines A. Hors saison, utiliser des abricots séchés, qu'on aura réhydratés dans l'eau bouillante 30 min ou jusqu'à ce qu'ils soient tendres. Utiliser le liquide avec les abricots.

Servir en garniture sur un gâteau des anges recouvert de crème glacée à la vanille. Qui a dit que les purées pour bébé n'étaient pas pour tout le monde?

200 g (1 tasse) de fraises fraîches ou congelées
170 g (1 tasse) d'abricots, en tranches
Le zeste et le jus d'un citron

- Combiner tous les ingrédients dans un mélangeur et réduire en purée onctueuse à vitesse rapide.
- Faire d'avance et conserver jusqu'à une semaine dans un contenant à fermeture hermétique au réfrigérateur.

INFORMATION NUTRITIONNELLE
Par portion de 60 ml (¼ tasse)

Calories	17 Kcal
Glucides (hydrates de carbone)	4 g
Fibres	1 g
Matière grasse	0 g
Protéines	0 g
Fer	0 mg

Brise de fruits tropicaux

500 ml (2 tasses)

Pour les enfants plus grands:
Pour préparer un excellent
« smoothie », ajouter 125 ml
(½ tasse) de lait à 250 ml
(1 tasse) de purée.

130 g (1 tasse) de kiwi, pelé et émincé
90 g (½ tasse) de banane, en tranches
80 g (½ tasse) de mangue, pelée et émincée
125 ml (½ tasse) de jus d'orange

- Combiner tous les ingrédients dans un mélangeur et réduire en purée onctueuse à vitesse rapide.
- Faire d'avance et conserver jusqu'à 5 jours dans un contenant à fermeture hermétique au réfrigérateur.

INFORMATION NUTRITIONNELLE
Par portion de 125 ml (½ tasse)

Calories	107 Kcal
Glucides (hydrates de carbone)	27 g
Fibres	3 g
Matière grasse	1 g
Protéines	1 g
Fer	0 mg
Vitamine C	54 mg

Avocats, mangue et citron vert

250 ml (1 tasse)

Conseil:
L'avocat offre plus de protéines que n'importe quel autre fruit et est riche en acides gras, essentiels pour la croissance et le développement des bébés.

Arroser la chair d'avocat de jus de citron jaune ou vert pour conserver sa couleur.

90 g (½ tasse) d'avocats, pelés et coupés en dés
80 g (½ tasse) de mangue, pelée et coupée en dés
2 c. à soupe de citron vert frais pressé

- Combiner tous les ingrédients dans un mélangeur et réduire en purée onctueuse à vitesse rapide.
- Faire d'avance et conserver 1 jour dans un contenant à fermeture hermétique au réfrigérateur.

INFORMATION NUTRITIONNELLE	
Par portion de 60 ml (¼ tasse)	
Calories	44 Kcal
Glucides (hydrates de carbone)	5 g
Fibres	1 g
Matière grasse	3 g
Protéines	0 g
Fer	0 mg

Courge et pommes

375 ml (1 ½ tasse)

Pour souligner naturellement le goût sucré des pommes et des courges, il suffit de les cuire au four.

Pour les enfants plus grands :
Mettre 125 ml (½ tasse) du mélange de courge et de pomme dans un ramequin. Mélanger 60 ml (¼ tasse) de céréales granola et 1 c. à soupe de beurre fondu. Verser dans le ramequin et cuire au four à 180 °C (350 °F) environ 12 min, jusqu'à ce que les céréales granola soient dorées.

Variante :
Mettre dans une casserole moyenne tous les ingrédients sauf l'huile et le sirop d'érable. Porter à légère ébullition, couvrir et cuire doucement environ 20 min, jusqu'à ce que le tout soit tendre. Mettre la préparation dans un mélangeur et réduire en purée onctueuse à vitesse rapide.

300 g (2 tasses) de courge musquée, pelée et coupée en dés
120 g (1 tasse) de pommes Golden Delicious
1 c. à soupe d'huile végétale
1 c. à café (1 c. à thé) de sirop d'érable pur
Une pincée de noix de muscade
125 ml (½ tasse) de jus de pomme non additionné de sucre ou d'eau

- Préchauffer le four à 180 °C (350 °F) et couvrir une plaque à pâtisserie de papier d'aluminium.
- Dans un bol moyen, mélanger la courge, les pommes, l'huile, le sirop d'érable et la noix de muscade.
- Tapisser la plaque à pâtisserie de ce mélange et cuire au four environ 30 min, jusqu'à ce que le tout soit tendre et doré. Laisser refroidir.
- Mettre le mélange de courge et de pommes dans un mélangeur, ajouter le jus de pomme et réduire en purée onctueuse à vitesse rapide.

INFORMATION NUTRITIONNELLE
Par portion de 60 ml (¼ tasse)

Calories	46 Kcal
Glucides (hydrates de carbone)	8 g
Fibres	1 g
Matière grasse	2 g
Protéines	0 g
Fer	0 mg

Carottes et dattes

Les douces dattes sucrées regorgent de fibres et se marient parfaitement bien à un des légumes favoris des petits... les carottes!

Conseil:
Toute la famille pourra savourer cette merveilleuse purée sur une tranche de pain de grain entier grillée ou des muffins au son.

200 g (2 tasses) de carottes, pelées et coupées en tranches
250 ml (1 tasse) de jus de pomme non additionné de sucre ou d'eau
90 g (½ tasse) de dattes, dénoyautées et hachées

- Mettre tous les ingrédients dans une casserole moyenne et porter à ébullition à feu moyen-élevé. Couvrir, réduire la chaleur et laisser mijoter doucement environ 15 min, jusqu'à ce que les carottes soient très tendres. Laisser refroidir.
- Mettre les carottes et les dattes dans un mélangeur et réduire en purée onctueuse à vitesse rapide.

INFORMATION NUTRITIONNELLE
Par portion de 60 ml (¼ tasse)

Calories	52 Kcal
Glucides (hydrates de carbone)	13 g
Fibres	1 g
Matière grasse	0 g
Protéines	0 g
Fer	0 mg

Carottes, abricots et framboises

500 ml (2 tasses)

Conseil:
On peut utiliser la même quantité de framboises congelées.

100 g (1 tasse) de carottes, pelées et coupées en dés
240 g (1 tasse) d'abricots, dénoyautés et coupés en tranches
60 g (½ tasse) de framboises

- Mettre les carottes dans une marguerite, verser de l'eau dans la casserole, porter à ébullition et cuire à la vapeur à couvert les carottes environ 15 min ou jusqu'à ce qu'elles soient très tendres. Laisser refroidir.
- Mettre les carottes, les abricots et les framboises dans un mélangeur. Réduire en purée onctueuse à vitesse rapide. Passer la purée dans une passoire à mailles fines à l'aide d'une cuiller de bois pour retirer les graines.

INFORMATION NUTRITIONNELLE
Par portion de 60 ml (¼ tasse)

Calories	20 Kcal
Glucides (hydrates de carbone)	5 g
Fibres	1 g
Matière grasse	0 g
Protéines	1 g
Fer	0 mg

Courge, poires et carottes

500 ml (2 tasses)

La combinaison de ces fruits et de ces légumes nous donne une purée simple et nutritive.

150 g (1 tasse) de courge musquée, pelée et coupée en dés
250 g (1 tasse) de poires, pelées et coupées en tranches
100 g (½ tasse) de carottes, pelées et coupées en tranches
60 ml (¼ tasse) de jus de pomme non additionné de sucre ou d'eau

- Mettre tous les ingrédients dans une casserole moyenne et porter à légère ébullition à feu moyen. Couvrir et laisser mitonner doucement environ 20 min, jusqu'à ce que le tout soit très tendre. Laisser refroidir.
- Mettre la préparation dans un mélangeur et réduire en purée onctueuse à vitesse rapide.

INFORMATION NUTRITIONNELLE Par portion de 60 ml (¼ tasse)	
Calories	24 Kcal
Glucides (hydrates de carbone)	6 g
Fibres	1 g
Matière grasse	0 g
Protéines	0 g
Fer	0 mg

Purée à la citrouille et à l'orange

500 ml (2 tasses)

Parmi la grande variété de courges d'hiver, c'est la citrouille qui a le plus de saveur. Essayez-la en saison.

Conseil :
Ne pas utiliser de la citrouille en conserve à cause des produits de conservation.

Avec le reste de citrouille, peler, épépiner, couper en morceaux et mettre dans des sacs à congeler à fermeture hermétique. Les fruits se conserveront au congélateur pour 6 mois.

300 g (2 tasses) de chair de citrouille, en cubes
1 c. à soupe d'huile végétale
1 c. à café (1 c. à thé) de cannelle moulue
Une pincée de piment de la Jamaïque
125 ml (½ tasse) de jus d'orange frais pressé

- Dans un bol moyen, mélanger la chair de citrouille, l'huile et les épices.
- Mettre le mélange sur une plaque à pâtisserie en une seule couche et cuire au four chaud environ 30 min, jusqu'à ce que la chair de citrouille soit tendre et dorée. Laisser refroidir légèrement.
- Mettre la préparation dans un mélangeur, ajouter le jus d'orange et réduire en purée onctueuse à vitesse rapide.

INFORMATION NUTRITIONNELLE
Par portion de 60 ml (¼ tasse)

Calories	30 Kcal
Glucides (hydrates de carbone)	4 g
Fibres	0 g
Matière grasse	2 g
Protéines	0 g
Fer	0 mg

Pommes et citrouille

500 ml (2 tasses)

Le mélange de goût de ces deux fruits d'automne est absolument sublime !

Conseil :

Les citrouilles sont vendues à l'automne et pèsent entre 500 g à 1,5 kg (1 à 3 lb). Elles ont un goût très sucré et certaines d'entre elles sont moins fibreuses que celles qui sont vendues pour décorer et sculpter.

200 g (2 tasses) de pommes, pelées et coupées en cubes
150 g (1 tasse) de chair de citrouille, en dés
125 ml (½ tasse) de jus de pomme non additionné de sucre
1 c. à café (1 c. à thé) d'essence de vanille
½ c. à café (½ c. à thé) de cannelle moulue

- Dans une casserole moyenne, à feu moyen-doux, mélanger tous les ingrédients. Couvrir et laisser mijoter environ 30 min, jusqu'à ce que les fruits soient très tendres.
- Mettre la préparation dans un mélangeur et réduire en purée onctueuse à vitesse rapide.

INFORMATION NUTRITIONNELLE Par portion de 60 ml (¼ tasse)	
Calories	22 Kcal
Glucides (hydrates de carbone)	5 g
Fibres	1 g
Matière grasse	0 g
Protéines	1 g
Fer	0 mg

Courge et poires grillées

500 ml (2 tasses)

Cette purée soyeuse et onctueuse plaira aux bébés qui n'aiment pas les courges.

Conseil :
Pour une méthode plus simple et une saveur plus douce, mettre tous les ingrédients sauf l'huile d'olive dans une casserole et cuire à feu moyen, environ 20 min, jusqu'à ce que les fruits soient tendres. Passer ensuite la préparation au mélangeur et réduire en purée onctueuse à vitesse rapide.

200 g (1 ½ tasse) de courge musquée, pelée et coupée en cubes
250 g (1 tasse) de poires, pelées et coupées en cubes
1 c. à soupe d'huile d'olive
1 c. à café (1 c. à thé) de romarin séché et broyé (facultatif)
125 ml (½ tasse) d'eau

- Préchauffer le four à 200 °C (400 °F).
- Recouvrir une plaque à pâtisserie de papier d'aluminium.
- Dans un bol moyen, mélanger la courge, les poires, l'huile et le romarin.
- Mettre le mélange sur la plaque à pâtisserie en une seule couche et cuire au four environ 20 min, jusqu'à ce que la chair de courge et les poires soient tendres et dorées. Laisser refroidir.
- Mettre la préparation dans un mélangeur, ajouter l'eau et réduire en purée onctueuse à vitesse rapide. Ajouter de l'eau au besoin.

INFORMATION NUTRITIONNELLE
Par portion de 60 ml (¼ tasse)

Calories	39 Kcal
Glucides (hydrates de carbone)	6 g
Fibres	1 g
Matière grasse	2 g
Protéines	0 g
Fer	0 mg

Courge poivrée, céleri-rave et pommes

500 ml (2 tasses)

Le céleri-rave est une variété de céleri dont la racine est comestible. Peler la racine avant de couper la chair.

Variante:
Remplacer les dés de céleri-rave par des branches de céleri hachées.

150 g (1 tasse) de courge poivrée, pelée et coupée en dés
250 g (1 tasse) de pommes, pelées et coupées en dés
55 g (½ tasse) de céleri-rave, pelé et coupé en dés
125 ml (½ tasse) de jus de pomme non additionné de sucre
¼ c. à café (¼ c. à thé) de muscade moulue

- Dans une casserole moyenne, mélanger tous les ingrédients et porter à légère ébullition à feu moyen-doux. Couvrir et laisser mijoter en remuant de temps en temps, jusqu'à ce que la courge, les pommes et le céleri-rave soient très tendres, environ 35 min. Laisser refroidir.
- Combiner tous les ingrédients dans un mélangeur et réduire en purée onctueuse à vitesse rapide.

INFORMATION NUTRITIONNELLE
Par portion de 60 ml (¼ tasse)

Calories	24 Kcal
Glucides (hydrates de carbone)	6 g
Fibres	1 g
Matière grasse	0 g
Protéines	0 g
Fer	0 mg

Délicieux brocoli

500 ml (2 tasses)

En général les légumes d'un vert foncé ont un goût plus prononcé. Si le brocoli n'est pas un succès, mélangez-le avec un aliment que bébé aime pour apprivoiser tranquillement ce goût exquis.

540 g (3 tasses) de bouquets de brocoli
125 ml (½ tasse) de jus de pomme non additionné de sucre ou d'eau

- Mettre les brocolis dans une marguerite au-dessus d'une casserole avec un peu d'eau. Couvrir et cuire environ 15 à 20 min, jusqu'à ce qu'ils soient très tendres. Laisser refroidir.
- Mettre les brocolis dans un mélangeur, ajouter le jus de pomme et réduire en purée onctueuse à vitesse rapide.

INFORMATION NUTRITIONNELLE
Par portion de 60 ml (¼ tasse)

Calories	22 Kcal
Glucides (hydrates de carbone)	5 g
Fibres	1 g
Matière grasse	0 g
Protéines	0 g
Fer	0 mg
Vitamine C	25 mg

Carottes, céleri-rave et panais

500 ml (2 tasses)

Voici une combinaison de légumes parfaitement douce et sucrée.

Variante:
Remplacer les cubes de céleri-rave par des branches de céleri hachées.

100 g (1 tasse) de carottes, pelées et coupées en cubes
55 g (½ tasse) de céleri-rave, pelé et coupé en cubes
50 g (½ tasse) de panais, pelé et coupé en cubes

- Dans une casserole moyenne, mettre les légumes, les couvrir d'eau et porter à ébullition à feu moyen-élevé. Couvrir, réduire la chaleur et laisser mijoter environ 15 min, jusqu'à ce que les légumes soient très tendres. Laisser refroidir.
- Mettre les légumes dans un mélangeur avec un peu d'eau de cuisson et réduire en purée onctueuse à vitesse rapide.

INFORMATION NUTRITIONNELLE
Par portion de 60 ml (¼ tasse)

Calories	14 Kcal
Glucides (hydrates de carbone)	3 g
Fibres	1 g
Matière grasse	0 g
Protéines	0 g
Fer	0 mg

Courge et haricots verts

500 ml (2 tasses)

Cette récolte d'automne vous donnera une purée riche en saveur.

120 g (1 tasse) de courge musquée, pelée et coupée en dés
125 ml (½ tasse) de jus de pomme non additionné de sucre
150 g (1 ½ tasse) de haricots verts, en tranches

- Dans une casserole moyenne, mélanger la courge et le jus de pomme. Ajouter assez d'eau pour couvrir les morceaux de courge. Couvrir et porter à ébullition à feu moyen-élevé. Réduire la chaleur et laisser mijoter 10 min. Ajouter les haricots verts et poursuivre la cuisson jusqu'à ce que les légumes soient tendres. Laisser refroidir.
- Mettre les légumes dans un mélangeur avec un peu d'eau de cuisson et réduire en purée onctueuse à vitesse rapide.

INFORMATION NUTRITIONNELLE
Par portion de 60 ml (¼ tasse)
Calories . . . . 43 Kcal
Glucides (hydrates de carbone) . . . . .11 g
Fibres . . . . .2 g
Matière grasse . . . . .0 g
Protéines . . . . .1 g
Fer . . . . 1 mg

Patates douces et maïs

500 ml (2 tasses)

La mélasse ajoute du fer et un goût sucré à deux des légumes les plus appréciés.

Conseil:

Il y a plusieurs variétés de mélasse, mais la verte contient beaucoup de nutriments et est la plus sucrée.

Les patates douces sont une excellente source de bêta-carotène.

375 g (1 ½ tasse) de patates douces, pelées et coupées en dés
180 g (1 tasse) de maïs en grains
60 ml (¼ tasse) de jus d'orange frais pressé
1 c. à soupe de mélasse verte

- Mettre les patates douces dans une marguerite au-dessus d'une casserole avec un peu d'eau. Porter à ébullition, couvrir et laisser cuire à la vapeur environ 20 min, jusqu'à ce que les patates soient très tendres. Ajouter le maïs et poursuivre la cuisson 2 min. Laisser refroidir.
- Mettre les patates et le maïs dans un mélangeur, ajouter le jus d'orange, la mélasse et réduire en purée onctueuse à vitesse rapide.

INFORMATION NUTRITIONNELLE
Par portion de 60 ml (¼ tasse)

Calories	53 Kcal
Glucides (hydrates de carbone)	12 g
Fibres	1 g
Matière grasse	0 g
Protéines	1 g
Fer	0 mg

Purée de courge et de légumes

500 ml (2 tasses)

Voici une bonne façon de présenter le brocoli aux tout-petits. Les carottes et la courge viendront donner à cette purée une touche de sucré.

Conseil:
Couper les légumes de la même grosseur pour une cuisson uniforme.

Les cuire jusqu'à ce qu'ils se brisent au contact d'une fourchette. Ils auront ainsi une consistance parfaitement tendre avant de passer au mélangeur.

120 g (1 tasse) de courge musquée, pelée et coupée en dés
90 g (½ tasse) de tiges de brocoli, pelées et coupées en tranches
50 g (½ tasse) de carottes, pelées et coupées en dés
60 ml (¼ tasse) de jus d'orange

- Mettre la courge, le brocoli et les carottes dans une marguerite au-dessus d'une casserole avec un peu d'eau. Porter à ébullition, couvrir et cuire 15 à 20 min ou jusqu'à ce que les légumes soient très tendres. Laisser refroidir.
- Mettre les légumes dans un mélangeur, ajouter le jus d'orange et réduire en purée onctueuse à vitesse rapide.

INFORMATION NUTRITIONNELLE
Par portion de 60 ml (¼ tasse)

Calories	16 Kcal
Glucides (hydrates de carbone)	4 g
Fibres	1 g
Matière grasse	0 g
Protéines	0 g
Fer	0 mg

Saveur d'été

Les poireaux ont un goût plus délicat que celui des oignons. C'est une bonne façon d'apprivoiser ces nouvelles saveurs.

Variante :
Mélanger 125 ml (½ tasse) de lait froid dans 250 ml (1 tasse) de purée pour rafraîchir cette soupe d'été.

1 c. à soupe d'huile végétale
90 g (½ tasse) de poireaux, parties blanche et vert tendre seulement, en tranches
250 g (1 tasse) de pommes de terre, pelées et coupées en dés
90 g (½ tasse) de maïs en grains congelé
100 g (½ tasse) de tomates, en dés
125 ml (½ tasse) de bouillon de légumes faible en sodium
1 c. à soupe de persil frais, haché

- Dans une casserole moyenne, chauffer l'huile à feu moyen-élevé. Ajouter les poireaux et cuire environ 5 min en mélangeant, jusqu'à ce qu'ils soient tendres. Éviter de les colorer.
- Ajouter les pommes de terre, le maïs, les tomates et cuire 5 min en mélangeant, jusqu'à ce que les pommes de terre soient dorées.
- Ajouter le bouillon de légumes et réduire la chaleur à feu moyen. Couvrir et laisser mijoter environ 15 min, jusqu'à ce que les pommes de terre soient tendres. Ajouter le persil et laisser refroidir.
- Mettre les légumes dans un mélangeur avec un peu d'eau de cuisson et réduire en purée onctueuse à vitesse rapide.

INFORMATION NUTRITIONNELLE
Par portion de 60 ml (¼ tasse)

Calories	47 Kcal
Glucides (hydrates de carbone)	7 g
Fibres	1 g
Matière grasse	2 g
Protéines	2 g
Fer	0 mg

Guacamole pour débutants

250 ml (1 tasse)

Pour les enfants plus vieux, servir en trempette avec des pointes de pain pita ou de tortilla de blé entier.

120 g (1 tasse) d'avocats, pelés et coupés en tranches
120 g (½ tasse) de tomates, pelées, épépinées et hachées
2 c. à soupe de jus de citron vert frais pressé

- Mettre les légumes dans un mélangeur et réduire en purée onctueuse à vitesse rapide.
- Faire d'avance et conserver la purée dans un contenant à fermeture hermétique jusqu'à 3 jours. Ne pas congeler.

INFORMATION NUTRITIONNELLE
Par portion de 60 ml (¼ tasse)

Calories	65 Kcal
Glucides (hydrates de carbone)	4 g
Fibres	1 g
Matière grasse	6 g
Protéines	1 g
Fer	0 mg

Nourriture pour bébé de
sept mois et plus

Planification des repas

Il est possible d'introduire les céréales pour bébé, les légumes, les fruits et les grains même si vous allaitez encore votre bébé à sa demande. Le lait maternel ou la formule lactée vendu dans le commerce est la meilleure source de protéines, de matière grasse et de plusieurs vitamines et minéraux comme le calcium. À ce stade-ci, les aliments solides sont des compléments au lait maternel (ou maternisé) quotidien. Voir l'introduction pour avoir plus de détails sur la planification des repas.

Repas	1	2	3
Petit-déjeuner	• 2 c. à soupe de céréales pour bébé enrichies de fer • 60 ml (¼ tasse) de Bananes (p. 27)	• 60 ml (¼ tasse) de Pêches, bananes et flocons d'avoine (p. 95) • 60 ml (¼ tasse) de Poires (p. 39)	• 2 c. à soupe de céréales pour bébé enrichies de fer • 60 ml (¼ tasse) de Bananarama aux pêches et aux poires (p. 65)
Collation	• Lait maternel ou préparation lactée pour nourrisson à volonté	• Lait maternel ou préparation lactée pour nourrisson à volonté	• Lait maternel ou préparation lactée pour nourrisson à volonté
Repas du midi	• 60 ml (¼ tasse) de Courge (p. 56)	• 60 ml (¼ tasse) de Carottes (p. 47)	• 60 ml (¼ tasse) d'Avocats, mangue et citron vert (p. 73)
Collation	• Lait maternel ou préparation lactée pour nourrisson à volonté	• Lait maternel ou préparation lactée pour nourrisson à volonté	• Lait maternel ou préparation lactée pour nourrisson à volonté
Repas du soir	• 60 ml (¼ tasse) de Paella végétarienne (p. 99) • 60 ml (¼ tasse) de Mangue (p. 33)	• 60 ml (¼ tasse) de Risotto à la courge et aux poivrons (p. 94) • 60 ml (¼ tasse) de Pommes (p. 26)	• 60 ml (¼ tasse) de Couscous aux agrumes (p. 98) • 60 ml (¼ tasse) de Cerises (p. 30)
Collation	• Lait maternel ou préparation lactée pour nourrisson à volonté	• Lait maternel ou préparation lactée pour nourrisson à volonté	• Lait maternel ou préparation lactée pour nourrisson à volonté

Riz vert

500 ml (2 tasses)

Pour donner plus de saveur à la purée, ajouter 30 g (¼ tasse) de pignons grillés ; les enfants plus grands apprécieront !

2 c. à soupe d'huile d'olive
25 g (¼ tasse) d'oignons, en tranches
1 gousse d'ail, émincée
200 g (4 tasses) de légumes verts en feuilles, épinards, bette à carde ou borécole (persil géant)
¼ c. à café (¼ c. à thé) de sel
¼ c. à café (¼ c. à thé) de zeste de citron, râpé
130 g (1 tasse) de riz cuit

- Dans une poêle, chauffer l'huile à feu moyen-élevé. Ajouter les oignons et cuire environ 5 min en remuant de temps en temps, jusqu'à ce qu'ils soient tendres. Ajouter l'ail et cuire 1 min de plus. Ajouter les légumes verts et cuire environ 1 min jusqu'à ce qu'ils soient ramollis. Saupoudrer de sel et de zeste de citron. Laisser refroidir légèrement.
- Mettre la préparation dans un mélangeur et réduire en purée onctueuse à vitesse rapide.
- Verser la purée sur le riz.

INFORMATION NUTRITIONNELLE
Par portion de 60 ml (¼ tasse)

Calories	65 Kcal
Glucides (hydrates de carbone)	7 g
Fibres	1 g
Matière grasse	3 g
Protéines	1 g
Fer	une trace

Riz brun, tomates et chou

500 ml (2 tasses)

Les tout-petits adorent le chou. Celui-ci stimule l'appétit et a comme propriété d'être un antidiarrhéique et un antibiotique naturel.

Conseil :

Pour les bébés de plus de 8 mois, ajouter du porc ou du bœuf dans le mélangeur. On obtiendra alors un repas complet.

Variante :

Si bébé aime le chou, il appréciera le chou de Savoie, qui offre plus de saveur.

1 c. à soupe d'huile végétale
45 g (½ tasse) d'oignons, hachés
180 g (1 tasse) de chou, émincé en fines lanières
300 ml (1 ¼ tasse) de tomates en dés en conserve avec leur jus
95 g (½ tasse) de riz brun
125 ml (½ tasse) d'eau

- Dans une casserole moyenne, chauffer l'huile à feu moyen-élevé. Ajouter les oignons et cuire 3 min en remuant, jusqu'à ce qu'ils soient tendres. Ajouter le chou et cuire environ 5 min en remuant, jusqu'à ce qu'il soit ramolli.
- Ajouter les tomates et leur jus, le riz et l'eau. Porter à ébullition, couvrir, réduire la chaleur et laisser mijoter environ 40 min, jusqu'à ce que le riz soit tendre et qu'il ait absorbé presque tout le liquide. Retirer du feu et laisser reposer 5 min à couvert.
- Mettre la préparation dans un mélangeur et réduire en purée onctueuse à vitesse rapide.

INFORMATION NUTRITIONNELLE
Par portion de 60 ml (¼ tasse)

Calories	71 Kcal
Glucides (hydrates de carbone)	12 g
Fibres	1 g
Matière grasse	2 g
Protéines	1 g
Fer	0 mg

Lentilles et riz pilaf

500 ml (2 tasses)

Les lentilles et le riz se complètent bien, car leur combinaison fournit des acides aminés et améliore la valeur nutritionnelle de chacun d'eux.

Conseil :
Toujours rincer les lentilles, car elles pourraient contenir des petites roches.

1 c. à soupe d'huile d'olive
45 g (½ tasse) d'oignons, hachés
95 g (½ tasse) de riz blanc à longs grains
½ c. à café (½ c. à thé) de cari
250 ml (1 tasse) de bouillon de poulet faible en sodium
250 ml (1 tasse) d'eau
100 g (½ tasse) de lentilles rouges séchées, rincées

- Dans une casserole moyenne, chauffer l'huile à feu moyen-élevé. Ajouter les oignons et cuire 5 min en remuant, jusqu'à ce qu'ils soient tendres. Ajouter le riz, le cari et bien mélanger pour que toute la préparation soit imprégnée de cari. Ajouter le bouillon de poulet, l'eau, les lentilles et porter à ébullition. Couvrir, réduire la chaleur à feu doux et laisser mijoter environ 20 min, jusqu'à ce que le riz et les lentilles soient tendres et aient absorbé presque tout le liquide. Laisser refroidir.
- Mettre la préparation dans un mélangeur et réduire en purée onctueuse à vitesse rapide.

INFORMATION NUTRITIONNELLE
Par portion de 60 ml (¼ tasse)

Calories	108 Kcal
Glucides (hydrates de carbone)	17 g
Fibres	4 g
Matière grasse	2 g
Protéines	6 g
Fer	2 mg

Risotto à la courge et aux poivrons

500 ml (2 tasses)

On est jamais trop jeune pour aimer le risotto!

Conseil:
Si votre bébé a plus de 8 mois, servir avec une purée au poulet pour un repas complet.

500 ml (2 tasses) de bouillon de légumes faible en sodium
95 g (½ tasse) de riz arborio ou autre riz à grains courts
75 g (½ tasse) de courge musquée, pelée et coupée en dés
60 g (½ tasse) de poivrons rouges grillés, hachés

- Dans une casserole moyenne, mélanger le bouillon de légumes, le riz, la courge et porter à ébullition. Couvrir, réduire la chaleur et laisser mijoter environ 20 min en remuant de temps en temps, jusqu'à ce que le riz soit tendre et qu'il ait absorbé presque tout le liquide. Ajouter les poivrons.
- Mettre la préparation dans un mélangeur et réduire en purée onctueuse à vitesse rapide.

INFORMATION NUTRITIONNELLE Par portion de 60 ml (¼ tasse)	
Calories	63 Kcal
Glucides (hydrates de carbone)	12 g
Fibres	1 g
Matière grasse	0 g
Protéines	4 g
Fer	1 mg

Pêches, bananes et flocons d'avoine

500 ml (2 tasses)

Les glucides contenus dans ce déjeuner donneront l'énergie nécessaire au bébé pour passer une bonne journée.

1 banane, en tranches
90 g (1 tasse) de flocons d'avoine, cuits
160 g (1 tasse) de pêches, pelées et coupées en tranches

• Mettre tous les ingrédients dans un mélangeur et réduire en purée onctueuse à vitesse rapide.

INFORMATION NUTRITIONNELLE
Par portion de 60 ml (¼ tasse)

Calories	40 Kcal
Glucides (hydrates de carbone)	9 g
Fibres	1 g
Matière grasse	0 g
Protéines	1 g
Fer	1 mg

Abricots et millet

La cuisson du millet est assez rapide. Une fois cuit, il a l'aspect du couscous, mais a son goût distinct.

500 ml (2 tasses) d'eau
90 g (½ tasse) de millet
120 g (1 tasse) d'abricots frais, en tranches

- Dans une petite casserole, à feu moyen-élevé, porter à ébullition l'eau et le millet. Couvrir, réduire la chaleur à feu très doux et cuire environ 30 min, jusqu'à ce que le millet soit tendre. Retirer du feu et laisser refroidir légèrement à couvert pendant environ 15 min.
- Mettre le millet dans un mélangeur, ajouter les abricots et réduire en purée onctueuse à vitesse rapide.

INFORMATION NUTRITIONNELLE
Par portion de 60 ml (¼ tasse)

Calories	56 Kcal
Glucides (hydrates de carbone)	11 g
Fibres	1 g
Matière grasse	1 g
Protéines	2 g
Fer	une trace

Dhal pour débutants, p. 110

Saumon au cheddar et au brocoli, p. 114

Ragoût au poulet, p. 127

Chili pour débutants, p. 133

Quinoa rapide et facile

625 ml (2 ½ tasses)

Le quinoa est pratique à cause de sa cuisson rapide et de sa haute teneur en protéines et en minéraux. Pour aller chercher toute sa saveur, il est recommandé ici de le griller avant de le cuire.

190 g (1 tasse) de quinoa
500 ml (2 tasses) de bouillon de légumes ou d'eau
30 g (¼ tasse) de fromage parmesan, râpé

- Dans une grande poêle, à feu moyen-élevé, faire dorer le quinoa environ 3 min en remuant sans cesse. Ajouter le bouillon et porter à ébullition. Réduire la chaleur à feu très doux et laisser mijoter à découvert environ 12 à 15 min ou jusqu'à ce que le quinoa ait absorbé tout le liquide. Laisser refroidir légèrement.
- Mettre le quinoa dans un mélangeur, ajouter le fromage et réduire en purée onctueuse à vitesse rapide.

INFORMATION NUTRITIONNELLE Par portion de 60 ml (¼ tasse)	
Calories	103 Kcal
Glucides (hydrates de carbone)	15 g
Fibres	2 g
Matière grasse	2 g
Protéines	7 g
Fer	2 mg

Couscous aux agrumes

500 ml (2 tasses)

Le couscous est la graine obtenue par agglomération de semoule de blé qui a été mélangée à l'eau salée. Il se mange comme un riz. Cette recette est faite de couscous de blé entier et a un goût léger de noix.

125 ml (½ tasse) de jus d'orange
250 ml (1 tasse) de bouillon de poulet faible en sodium
175 g (1 tasse) de couscous de blé entier
1 c. à soupe d'huile d'olive
25 g (¼ tasse) d'oignons, hachés
105 g (½ tasse) d'oranges, hachées
1 c. à soupe de persil frais, haché

- Dans une casserole moyenne, porter à ébullition le jus d'orange et le bouillon de poulet. Ajouter le couscous, couvrir et retirer du feu. Laisser reposer environ 5 min ou jusqu'à ce que le couscous ait absorbé presque tout le liquide. Laisser refroidir.
- Pendant ce temps, dans une poêle, chauffer l'huile à feu moyen-élevé. Ajouter les oignons et cuire environ 5 min en remuant sans cesse, jusqu'à ce qu'ils soient tendres.
- Mettre les oignons et le couscous dans un mélangeur. Ajouter les oranges et réduire en purée onctueuse à vitesse rapide. Saupoudrer de persil.

INFORMATION NUTRITIONNELLE Par portion de 60 ml (¼ tasse)	
Calories	117 Kcal
Glucides (hydrates de carbone)	20 g
Fibres	1 g
Matière grasse	2 g
Protéines	4 g
Fer	une trace

Paella végétarienne

500 ml (2 tasses)

Cette recette traditionnelle d'origine espagnole est rapide et simple à réaliser.

Conseil:

La combinaison des aliments riches en vitamine C et en fer aide à l'absorption du fer dans notre organisme. Les poivrons rouges sont riches en vitamine C et le riz est une bonne source de fer.

375 ml (1 ½ tasse) de bouillon de légumes faible en sodium
½ c. à café (½ c. à thé) de curcuma moulu
1 c. à soupe d'huile d'olive
25 g (¼ tasse) d'oignons, hachés
95 g (½ tasse) de riz à grains moyens, rincés
30 g (¼ tasse) de poivrons verts, hachés
30 g (¼ tasse) de poivrons rouges, hachés
35 g (¼ tasse) de petits pois congelés

- Dans une tasse à mesurer, mélanger le bouillon de légumes et de curcuma.
- Dans une poêle, chauffer l'huile à feu moyen-élevé. Ajouter les oignons et cuire environ 3 min en remuant, jusqu'à ce qu'ils soient tendres. Ajouter le riz, les poivrons, les pois, le bouillon et porter à ébullition. Réduire la chaleur et laisser mijoter environ 15 min, partiellement couvert, jusqu'à ce que le riz soit tendre et qu'il ait absorbé presque tout le liquide.
- Mettre la préparation dans un mélangeur et réduire en purée onctueuse à vitesse rapide.

INFORMATION NUTRITIONNELLE
Par portion de 60 ml (¼ tasse)

Calories	74 Kcal
Glucides (hydrates de carbone)	11 g
Fibres	1 g
Matière grasse	2 g
Protéines	3 g
Fer	1 mg
Vitamine C	15 mg

Jambalaya

Le riz cuit dans un bouillon de légumes épicés fournit de l'énergie pour toute la journée.

1 c. à soupe d'huile d'olive
50 g (½ tasse) de carottes, pelées et hachées
25 g (¼ tasse) d'oignons, hachés
30 g (¼ tasse) de céleri, haché
45 g (¼ tasse) de riz blanc à longs grains
250 ml (1 tasse) de bouillon de poulet faible en sodium
1 feuille de laurier

- Dans une poêle, chauffer l'huile d'olive à feu moyen-élevé. Ajouter les carottes, les oignons, le céleri et cuire environ 5 min en remuant, jusqu'à ce que les oignons soient tendres. Ajouter le riz et mélanger pour l'enduire d'huile. Ajouter le bouillon, la feuille de laurier et porter à ébullition. Couvrir, réduire la chaleur à feu très doux et cuire environ 20 min, jusqu'à ce que le riz soit tendre et qu'il ait absorbé presque tout le liquide. Laisser refroidir. Jeter la feuille de laurier.
- Mettre la préparation dans un mélangeur et réduire en purée onctueuse à vitesse rapide.

INFORMATION NUTRITIONNELLE
Par portion de 60 ml (¼ tasse)

Calories	48 Kcal
Glucides (hydrates de carbone)	6 g
Fibres	0 g
Matière grasse	2 g
Protéines	2 g
Fer	0 mg

Nourriture pour bébé de
huit mois et plus

Planification des repas

À cet âge, on peut commencer à servir bébé dans une tasse. Le lait maternel naturel ou en conserve et l'eau peuvent être servis dans une tasse ou un verre pour bébé. On peut continuer d'allaiter bébé à sa demande durant la journée ou lui offrir de la préparation lactée. Voir l'introduction pour avoir plus de détails sur la planification des repas.

Repas	1	2	3
Petit-déjeuner	• 125 ml (½ tasse) de céréales pour bébé enrichies de fer • 60 ml (¼ tasse) de Pêches et cerises (p. 63)	• 125 ml (½ tasse) de céréales pour bébé enrichies de fer. 60 ml (¼ tasse) de Nectarines (p. 37)	• 125 ml (½ tasse) de Pêches, bananes et flocons d'avoine (p. 95) • Raisins, coupés en 4 tranches
Collation	• ½ tranche de pain de blé entier, grillée • 60 ml (¼ tasse) de Fraises (p. 42) • Eau	• Biscuit pour bébé • Pêches en conserve en dés • Eau	• 60 ml (¼ tasse) de céréales de blé soufflé sèches • 60 ml (¼ tasse) de Melon d'eau rafraîchissant (p. 68) • Eau
Repas du midi	• 60 ml (¼ tasse) de Ragoût à la citrouille et aux pois chiches (p. 107)	• 60 ml (¼ tasse) de Carottes, abricots et framboises (p. 75)	• 60 ml (¼ tasse) de Poulet, riz brun et pois sucrés (p. 123)
Collation	• 60 ml (¼ tasse) de céréales d'avoine grillée sèches • 60 ml (¼ tasse) de Pommes (p. 26)	• 60 ml (¼ tasse) de céréales d'avoine grillée sèches • 60 ml (¼ tasse) de Décadence aux fraises (p. 70)	• Biscuit pour bébé • 60 ml (¼ tasse) de Pommes et citrouille (p. 78)
Repas du soir	• 60 ml (¼ tasse) de Porc, pommes et chou (p. 136) • Poire mûre, en dés • Eau	• 60 ml (¼ tasse) d'Églefin au maïs et aux poireaux (p. 113) • 60 ml (¼ tasse) de Courge, poires et carottes (p. 76) • Eau	• 60 ml (¼ tasse) d'Orge, lentilles et patates douces (p. 105) • Banane mûre, en dés • Eau
Collation	• Lait maternel ou préparation lactée pour nourrisson à volonté	• Lait maternel ou préparation lactée pour nourrisson à volonté	• Lait maternel ou préparation lactée pour nourrisson à volonté

Lentilles, carottes et céleri

500 ml (2 tasses)

Les lentilles constituent une excellente source d'acide folique et de potassium. Ajouter les lentilles au liquide de cuisson, elles seront plus faciles à digérer. Mélanger les lentilles au riz, pour en faire un repas complet.

Conseil:

Les lentilles ne nécessitent pas de trempage, par contre on doit les rincer abondamment sous l'eau froide à l'aide d'une passoire à mailles pour retirer toutes les impuretés.

Variante:

On peut remplacer les lentilles vertes par des rouges, mais attention, on doit les cuire seulement 10 min.

1 c. à soupe d'huile végétale
45 g (½ tasse) d'oignons, hachés
45 g (½ tasse) de carottes, hachées
45 g (½ tasse) de céleri, haché
500 ml (2 tasses) de bouillon de légumes faible en sodium
185 g (1 tasse) de lentilles vertes sèches, rincées

- Dans une casserole moyenne, chauffer l'huile à feu moyen-élevé. Ajouter les oignons, les carottes, le céleri et cuire environ 5 min en remuant de temps en temps, jusqu'à ce que le tout soit tendre. Prendre soin que les légumes ne brunissent pas.
- Ajouter le bouillon et les lentilles, couvrir, réduire la chaleur et laisser mijoter environ 30 min, jusqu'à ce que les lentilles soient tendres. Laisser refroidir.
- Mettre la préparation dans un mélangeur et réduire en purée onctueuse à vitesse rapide.

INFORMATION NUTRITIONNELLE
Par portion de 125 ml (½ tasse)

Calories	117 Kcal
Glucides (hydrates de carbone)	16 g
Fibres	9 g
Matière grasse	2 g
Protéines	10 g
Fer	3 mg

Orge, lentilles et patates douces

750 ml (3 tasses)

Conseil :
En ajoutant un peu plus de bouillon à cette purée, on transformera ce plat en soupe pour toute la famille.

2 c. à soupe d'huile d'olive
1 carotte, pelée et coupée en dés
1 branche de céleri, en dés
45 g (½ tasse) d'oignons, en dés
500 ml (2 tasses) de bouillon de poulet faible en sodium
90 g (½ tasse) d'orge perlé, rincé
250 g (1 tasse) de patates douces, pelées et coupées en dés
45 g (¼ tasse) de lentilles vertes séchées, rincées

- Dans une casserole moyenne, chauffer l'huile d'olive à feu moyen-élevé. Ajouter les carottes, le céleri, les oignons et cuire environ 5 min en remuant de temps en temps, jusqu'à ce que les carottes soient tendres.
- Ajouter le bouillon, l'orge et porter à ébullition. Couvrir, réduire la chaleur et laisser mijoter 20 min. Ajouter les patates et les lentilles. Laisser mijoter environ 25 min, jusqu'à ce que les lentilles et l'orge soient tendres. Laisser refroidir.
- Mettre la préparation dans un mélangeur et réduire en purée onctueuse à vitesse rapide.

INFORMATION NUTRITIONNELLE
Par portion de 125 ml (½ tasse)

Calories	148 Kcal
Glucides (hydrates de carbone)	26 g
Fibres	6 g
Matière grasse	2 g
Protéines	8 g
Fer	2 mg

Pois chiches citronnés aux carottes et au céleri

500 ml (2 tasses)

Voici une méthode toute simple pour combiner les pois et les légumes.

Conseil:

Faire tremper les pois et les légumes pendant toute une nuit limite le temps de cuisson, conserve les nutriments et réduit les flatulences.

Méthode rapide de trempage:

Dans une casserole, mettre 3 parts d'eau pour une part de pois et porter à ébullition à feu moyen. Retirer du feu et laisser reposer, à couvert, pendant 1 à 2 h. Égoutter et cuire selon la recette.

185 g (1 tasse) de pois chiches séchés
500 ml (2 tasses) d'eau
1 c. à café (1 c. à thé) d'huile végétale
25 g (¼ tasse) d'oignons, en dés
30 g (¼ tasse) de céleri, en dés
25 g (¼ tasse) de carottes, pelées et coupées en dés
250 ml (1 tasse) de bouillon de légumes faible en sodium
1 feuille de laurier
1 c. à soupe de jus de citron frais pressé
1 c. à soupe de persil frais, haché

- Dans un bol moyen, faire tremper les pois chiches dans l'eau de 12 à 24 h. Égoutter et réserver.
- Dans une casserole moyenne, chauffer l'huile à feu moyen-élevé. Ajouter les oignons, le céleri, les carottes et cuire environ 5 min, jusqu'à ce que les légumes soient tendres. Ajouter le bouillon, les pois chiches, la feuille de laurier et porter à ébullition. Couvrir, réduire la chaleur et laisser mijoter environ 45 min, jusqu'à ce que les pois chiches soient tendres. Laisser refroidir.
- Mettre la préparation dans un mélangeur, ajouter le jus de citron, le persil et réduire en purée onctueuse à vitesse rapide.

INFORMATION NUTRITIONNELLE
Par portion de 125 ml (½ tasse)

Calories	139 Kcal
Glucides (hydrates de carbone)	23 g
Fibres	5 g
Matière grasse	2 g
Protéines	8 g
Fer	2 mg

Ragoût à la citrouille et aux pois chiches

500 ml (2 tasses)

Conseil :
Mélanger la purée à du couscous de blé entier pour obtenir un repas nutritif et végétarien pour toute la famille.

150 g (1 tasse) de citrouille, pelée et coupée en cubes
95 g (½ tasse) de pois chiches en conserve, rincés et essorés
140 g (½ tasse) de tomates en dés en conserve et leur jus
1 c. à café (1 c. à thé) de sauge séchée émiettée

- Dans une casserole moyenne, mélanger tous les ingrédients et porter à ébullition. Couvrir, réduire la chaleur et laisser mijoter 15 min, jusqu'à ce que la citrouille soit tendre. Laisser refroidir.
- Mettre la préparation dans un mélangeur et réduire en purée onctueuse à vitesse rapide.

INFORMATION NUTRITIONNELLE
Par portion de 125 ml (½ tasse)

Calories	46 Kcal
Glucides (hydrates de carbone)	9 g
Fibres	1 g
Matière grasse	1 g
Protéines	2 g
Fer	1 mg

Succotash d'été

625 ml (2 ½ tasses)

Le goût s'apprend! Les fèves de Lima suggérées dans cette recette offrent une douce texture crémeuse que les tout-petits aimeront.

Variante:
On peut remplacer le bouillon par une part égale d'eau.

1 c. à soupe d'huile végétale
45 g (½ tasse) d'oignons, hachés
180 g (1 tasse) de maïs en grains congelé
180 g (1 tasse) de fèves de Lima congelées
200 g (1 tasse) de tomates, en dés
125 ml (½ tasse) de bouillon de légumes faible en sodium
1 c. à soupe de persil frais, haché

- Dans une poêle, chauffer l'huile à feu moyen-élevé. Ajouter les oignons et cuire environ 5 min, jusqu'à ce qu'ils soient tendres, en prenant soin qu'ils ne brunissent pas. Ajouter le maïs, les fèves, les tomates, le bouillon, le persil et porter à ébullition. Couvrir, réduire la chaleur et laisser mijoter environ 15 min, en remuant de temps en temps, jusqu'à ce que les fèves soient tendres. Laisser refroidir.
- Mettre la préparation dans un mélangeur et réduire en purée onctueuse à vitesse rapide.

INFORMATION NUTRITIONNELLE	
Par portion de 60 ml (¼ tasse)	
Calories	72 Kcal
Glucides (hydrates de carbone)	11 g
Fibres	2 g
Matière grasse	2 g
Protéines	3 g
Fer	1 mg

Hoummos pour débutants

250 ml (1 tasse)

Pour les enfants plus grands :
Servir en trempette avec des légumes ou des lanières de pain pita au blé entier, grillées.

185 g (1 tasse) de pois chiches en conserve, rincés et essorés
125 ml (½ tasse) d'eau

- Mettre les pois chiches et l'eau dans un mélangeur et réduire en purée onctueuse à vitesse rapide.
- Faire d'avance et conserver dans un récipient à fermeture hermétique au réfrigérateur pour 3 jours. Ne pas congeler.

INFORMATION NUTRITIONNELLE
Par portion de 60 ml (¼ tasse)

Calories	71 Kcal
Glucides (hydrates de carbone)	14 g
Fibres	3 g
Matière grasse	1 g
Protéines	3 g
Fer	1 mg

Dhal pour débutants

500 ml (2 tasses)

Cette purée de couleur intense est chargée de nutriments.

Pour les enfants plus grands : Servir en trempette avec du pain naan indien ou des pointes de pain pita au blé entier.

375 ml (1 ½ tasse) de bouillon de légumes faible en sodium
50 g (¼ tasse) de lentilles rouges séchées, rincées
½ c. à café (½ c. à thé) de coriandre moulue
¼ c. à café (¼ c. à thé) de curcuma moulu
1 petite pomme de terre, pelée et coupée en dés
1 carotte, pelée et coupée en dés
50 g (½ tasse) de bouquets de chou-fleur

- Dans une casserole moyenne, mélanger le bouillon, les lentilles, la coriandre, le curcuma et porter à ébullition. Couvrir, réduire la chaleur et laisser mijoter 15 min, jusqu'à ce que les lentilles soient très tendres.
- Ajouter les pommes de terre, les carottes, le chou-fleur, couvrir et laisser mijoter environ 15 min, jusqu'à ce que les lentilles soient très tendres. Laisser refroidir.
- Mettre la préparation dans un mélangeur et réduire en purée onctueuse à vitesse rapide.

INFORMATION NUTRITIONNELLE
Par portion de 60 ml (¼ tasse)

Calories	84 Kcal
Glucides (hydrates de carbone)	13 g
Fibres	6 g
Matière grasse	0 g
Protéines	8 g
Fer	2 mg

Poisson et pois sucrés

500 ml (2 tasses)

Le poisson blanc maigre a une saveur très douce et se prépare rapidement.

Pour les enfants plus grands : Mettre 125 ml (½ tasse) de purée dans une demi-pomme de terre au four et saupoudrer de fromage. Préchauffer le four à 180 °C (350 °F) et cuire environ 15 min, jusqu'à ce que la pomme de terre soit chaude et le fromage, fondu.

100 g (1 tasse) de pois sucrés congelés
180 g (6 oz) de filet de morue* sans peau, d'églefin ou de flétan
125 ml (½ tasse) de bouillon de légumes faible en sodium
1 c. à café (1 c. à thé) de jus de citron frais pressé
* Les informations nutritionnelles sont pour le filet de morue

- Mettre les pois sucrés dans une casserole moyenne. Disposer le poisson sur les pois et verser le bouillon. Couvrir et cuire à feu moyen environ 10 min, jusqu'à ce que le poisson se défasse en flocons. Laisser refroidir.
- Mettre la préparation dans un mélangeur, ajouter le jus de citron et réduire en purée onctueuse à vitesse rapide.

INFORMATION NUTRITIONNELLE
Par portion de 125 ml (½ tasse)

Calories	69 Kcal
Glucides (hydrates de carbone)	5 g
Fibres	2 g
Matière grasse	0 g
Protéines	11 g
Fer	1 mg

Morue au céleri et aux poivrons

500 ml (2 tasses)

Le céleri apporte une saveur très délicate à ce plat.

180 g (6 oz) de filet de morue sans la peau
1 branche de céleri, en dés
120 g (1 tasse) de poivrons rouges, en dés
250 ml (1 tasse) d'eau
45 g (¼ tasse) de riz blanc à longs grains

- Dans une casserole moyenne, mélanger tous les ingrédients et porter à ébullition à feu moyen-élevé. Couvrir, réduire la chaleur et laisser mijoter environ 15 min, jusqu'à ce que le poisson se défasse en flocons. On peut se servir d'une fourchette pour vérifier la cuisson. Laisser refroidir.
- Mettre la préparation dans un mélangeur et réduire en purée onctueuse à vitesse rapide.

INFORMATION NUTRITIONNELLE
Par portion de 125 ml (½ tasse)

Calories	90 Kcal
Glucides (hydrates de carbone)	12 g
Fibres	1 g
Matière grasse	0 g
Protéines	9 g
Fer	1 mg

Églefin au maïs et aux poireaux

500 ml (2 tasses)

Les jeunes palais adoreront cette douce purée.

Conseil:
Le mélange de poireaux et de maïs donne une saveur sucrée à ce repas. Si le temps vous manque, mettre tous les ingrédients, sauf l'huile, dans une casserole et cuire à feu moyen-élevé environ 8 min, jusqu'à ce que les poireaux et le poisson soient tendres. Passer le tout au mélangeur à vitesse rapide pour obtenir une purée onctueuse.

2 c. à café (2 c. à thé) d'huile d'olive
90 g (½ tasse) de poireaux, parties blanche et vert pâle, hachés
180 g (1 tasse) de maïs sucré en grains congelé
180 g (6 oz) de filet d'églefin sans la peau
60 ml (¼ tasse) d'eau

- Dans une poêle antiadhésive, chauffer l'huile à feu moyen-élevé. Ajouter les poireaux et cuire en remuant environ 3 min, jusqu'à ce qu'ils soient tendres, sans les colorer. Ajouter le maïs et cuire 2 min de plus. Mettre le filet d'églefin sur la préparation et verser l'eau. Couvrir et cuire environ 8 min, jusqu'à ce qu'à la pointe d'une fourchette, le poisson se défasse en flocons. Laisser refroidir.
- Mettre la préparation dans un mélangeur et réduire en purée onctueuse à vitesse rapide.

INFORMATION NUTRITIONNELLE Par portion de 125 ml (½ tasse)	
Calories	100 Kcal
Glucides (hydrates de carbone)	10 g
Fibres	1 g
Matière grasse	3 g
Protéines	9 g
Fer	1 mg

Saumon au cheddar et au brocoli

500 ml (2 tasses)

Les poissons riches en matière grasse comme le saumon sont une excellente source de fer. Notre organisme absorbe mieux le fer quand on le combine avec la vitamine C. Ici, la vitamine C est produite par le brocoli.

180 g (1 tasse) de bouquets de brocoli
1 petite pomme de terre, pelée et coupée en dés
240 g (8 oz) de filet de saumon sans la peau
125 ml (½ tasse) de lait entier homogénéisé
35 g (¼ tasse) de fromage cheddar, râpé

- Mettre le brocoli et les pommes de terre dans une casserole moyenne. Disposer le filet de saumon sur les légumes et verser le lait sur le dessus. Porter à ébullition à feu moyen-élevé, couvrir, réduire la chaleur et cuire à couvert environ 15 à 20 min, jusqu'à ce que les légumes soient tendres et que le poisson se défasse en flocons à l'aide d'une fourchette. Laisser refroidir.
- Mettre la préparation dans un mélangeur et réduire en purée onctueuse à vitesse rapide.

INFORMATION NUTRITIONNELLE Par portion de 125 ml (½ tasse)	
Calories	133 Kcal
Glucides (hydrates de carbone)	6 g
Fibres	1 g
Matière grasse	5 g
Protéines	15 g
Fer	1 mg
Vitamine C	21 mg

Épinards, saumon et riz

500 ml (2 tasses)

Variante :

Pour un plus grand apport nutritionnel, remplacer les épinards par la même quantité de bette à carde blanchie.

2 c. à café (2 c. à thé) d'huile d'olive
25 g (¼ tasse) d'oignons, hachés
95 g (½ tasse) de riz blanc à longs grains
250 ml (1 tasse) d'eau
25 g (1 tasse) d'épinards frais, hachés
120 g (4 oz) de filet de saumon sans la peau
1 c. à café (1 c. à thé) de jus de citron frais pressé

- Dans une casserole moyenne, chauffer l'huile à feu moyen-élevé. Ajouter les oignons et cuire environ 3 min, en remuant, jusqu'à ce qu'ils soient tendres sans les colorer.
- Ajouter le riz et mélanger pour bien l'enduire d'huile. Verser l'eau et porter à ébullition. Couvrir, réduire la chaleur et laisser mijoter environ 15 min, jusqu'à ce que le riz soit légèrement tendre et qu'il ait absorbé presque tout le liquide.
- Mettre les épinards et le saumon sur le riz, couvrir et poursuivre la cuisson environ 10 min, jusqu'à ce que les épinards fondent et que le poisson se défasse en flocon à la pointe d'une fourchette. Laisser reposer à couvert 10 min.
- Mettre la préparation dans un mélangeur, ajouter le jus de citron et réduire en purée onctueuse à vitesse rapide. Ajouter de l'eau au besoin.

INFORMATION NUTRITIONNELLE
Par portion de 125 ml (½ tasse)

Calories	143 Kcal
Glucides (hydrates de carbone)	20 g
Fibres	1 g
Matière grasse	3 g
Protéines	8 g
Fer	1 mg

Tilapia au céleri et aux tomates

500 ml (2 tasses)

Le tilapia a une chair blanche et une saveur délicate. Il est une bonne façon d'introduire les poissons au régime alimentaire de bébé.

Variante:
On peut remplacer le tilapia par du flétan, de l'hoplostète orange ou la morue.

1 c. à soupe d'huile d'olive
60 g (½ tasse) de céleri, en tranches fines
40 g (½ tasse) d'oignons verts, en tranches
100 g (½ tasse) de tomates, en dés
½ c. à café (½ c. à thé) d'aneth séché
120 g (4 oz) de filet de tilapia
125 ml (½ tasse) d'eau

- Dans une casserole moyenne, chauffer l'huile à feu moyen-élevé. Ajouter le céleri, les oignons verts, les tomates, l'aneth et cuire environ 5 min, en remuant de temps en temps, jusqu'à ce que le céleri soit tendre. Ajouter le tilapia et l'eau. Couvrir et poursuivre la cuisson environ 5 min, jusqu'à ce que le poisson se défasse en flocons à la pointe d'une fourchette. Laisser refroidir.
- Mettre la préparation dans un mélangeur et réduire en purée onctueuse à vitesse rapide.

INFORMATION NUTRITIONNELLE
Par portion de 125 ml (½ tasse)

Calories	64 Kcal
Glucides (hydrates de carbone)	3 g
Fibres	1 g
Matière grasse	4 g
Protéines	6 g
Fer	0 mg

Truite aux courgettes et aux pommes de terre

500 ml (2 tasses)

Conseil :
La chair rosée de la truite donne à ce plat une jolie teinte, par contre on peut changer la truite par un autre poisson et le cuire de la même manière.

1 pomme de terre Yukon Gold moyenne, pelée et coupée en dés
1 courgette, en dés
180 g (6 oz) de filet de truite
Eau

- Mettre les pommes de terre et les courgettes dans une casserole moyenne. Disposer le filet de truite sur les légumes, la peau vers le bas et couvrir d'eau. Couvrir et porter à ébullition à feu moyen-élevé. Réduire la chaleur et laisser mijoter environ 15 min, jusqu'à ce que les pommes de terre soient tendres et que le poisson se défasse en flocons à la pointe d'une fourchette. Laisser refroidir.
- Retirer la peau de la truite et mettre le poisson, les légumes ainsi que le liquide de cuisson dans un mélangeur. Réduire en purée onctueuse à vitesse rapide. Ajouter de l'eau au besoin.

INFORMATION NUTRITIONNELLE
Par portion de 125 ml (½ tasse)

Calories	96 Kcal
Glucides (hydrates de carbone)	7 g
Fibres	1 g
Matière grasse	3 g
Protéines	10 g
Fer	1 mg

Poulet

375 ml (1 ½ tasse)

Conseil :
On peut également rôtir ou pocher le poulet avant de le passer au mélangeur. Pour plus de saveur, remplacer l'eau par l'équivalent de bouillon de poulet faible en sodium.

240 g (8 oz) de poitrine de poulet, désossée, sans la peau et coupée en lanières
250 ml (1 tasse) d'eau

- Mettre le poulet dans une marguerite déposée sur une casserole avec un peu d'eau bouillante. Couvrir et cuire à la vapeur environ 20 min, jusqu'à ce que le poulet ait perdu sa couleur rosée à l'intérieur. Laisser refroidir.
- Mettre le poulet dans un mélangeur, ajouter l'eau et réduire en purée onctueuse à vitesse rapide.

INFORMATION NUTRITIONNELLE
Par portion de 60 ml (¼ tasse)

Calories	50 Kcal
Glucides (hydrates de carbone)	0 g
Fibres	0 g
Matière grasse	1 g
Protéines	10 g
Fer	1 mg

Poulet et céleri

500 ml (2 tasses)

Les enfants raffolent de la douce saveur du poulet et du céleri.

Conseil:
Pour une purée plus lisse, peler le céleri pour retirer le maximum de fibres avant de le hacher.

Pour les enfants plus grands:
Pour un repas rapide, verser la purée sur un nid de riz brun cuit.

180 g (6 oz) de poitrine de poulet, désossée, sans la peau et coupée en dés
120 g (1 tasse) de céleri, haché
250 ml (1 tasse) de bouillon de poulet faible en sodium

- Mettre tous les ingrédients dans une casserole moyenne, porter à légère ébullition à feu moyen. Couvrir et laisser mijoter environ 15 min, jusqu'à ce que le céleri soit tendre et que le poulet ait perdu sa couleur rosée à l'intérieur. Laisser refroidir.
- Mettre la préparation dans un mélangeur et réduire en purée onctueuse à vitesse rapide.

INFORMATION NUTRITIONNELLE
Par portion de 125 ml (½ tasse)

Calories	42 Kcal
Glucides (hydrates de carbone)	2 g
Fibres	1 g
Matière grasse	0 g
Protéines	8 g
Fer	1 mg

Poulet, poivrons rouges et maïs

500 ml (2 tasses)

Les poivrons grillés ajoutent une douceur au poulet et au maïs.

1 c. à soupe d'huile d'olive
180 g (6 oz) de poitrine de poulet, désossée, sans la peau et hachée
25 g (¼ tasse) d'oignons, hachés
60 g (½ tasse) de poivrons rouges grillés, hachés
90 g (½ tasse) de maïs en grains congelé
1 c. à soupe de persil frais, haché
125 ml (½ tasse) de bouillon de poulet faible en sodium

- Dans une poêle, chauffer l'huile à feu moyen-élevé. Ajouter le poulet et le faire griller sur toutes les faces. Réserver dans une assiette.
- Dans la même poêle, mettre les oignons et cuire environ 5 min en remuant, jusqu'à ce qu'ils soient tendres. Ajouter les poivrons, le maïs, le persil et poursuivre la cuisson 2 min. Ajouter le bouillon et porter à ébullition. Ajouter le poulet grillé, couvrir, réduire la chaleur et laisser mijoter, jusqu'à ce que le poulet ait perdu sa teinte rosée à l'intérieur et que la sauce épaississe légèrement. Laisser refroidir.
- Mettre la préparation dans un mélangeur et réduire en purée onctueuse à vitesse rapide.

INFORMATION NUTRITIONNELLE
Par portion de 125 ml (½ tasse)

Calories	110 Kcal
Glucides (hydrates de carbone)	6 g
Fibres	1 g
Matière grasse	5 g
Protéines	12 g
Fer	1 mg
Vitamine C	15 mg

Poulet et avocats

500 ml (2 tasses)

Conseil :
Le temps de cuisson variera selon l'épaisseur des lanières de poulet.

Pour les enfants plus grands :
Servir en trempette avec des pointes de tortillas de blé entier, grillées.

240 g (8 oz) de poitrine de poulet, désossée, sans la peau et coupée en lanières
1 avocat, pelé, dénoyauté et coupé en tranches
1 c. à soupe de jus de citron vert frais pressé
175 ml (¾ tasse) de bouillon de poulet faible en sodium

- Mettre le poulet dans une marguerite sur une casserole avec un peu d'eau bouillante. Couvrir et cuire à la vapeur pendant 10 à 15 min, jusqu'à ce que le poulet ait perdu sa teinte rosée à l'intérieur. Au terme de la cuisson, couper les lanières de poulet en morceaux de 2,5 cm (1 po). Laisser refroidir.
- Mettre le poulet dans un mélangeur, ajouter les tranches d'avocat, le jus de citron vert et le bouillon. Réduire à consistance désirée au mélangeur, à vitesse rapide.
- *Faire d'avance :* Conserver dans un contenant hermétique au réfrigérateur pour pas plus de 3 jours. Ne pas congeler.

INFORMATION NUTRITIONNELLE	
Par portion de 125 ml (½ tasse)	
Calories	119 Kcal
Glucides (hydrates de carbone)	3 g
Fibres	1 g
Matière grasse	7 g
Protéines	12 g
Fer	1 mg

Poulet et citrouille

500 ml (2 tasses)

Cette récolte d'automne nous donne un repas doux et savoureux!

Variante:
On peut remplacer le poulet par de la dinde.

1 c. à soupe d'huile d'olive
180 g (6 oz) de poitrine de poulet, désossée, sans la peau et coupée en dés
150 g (1 tasse) de citrouille, pelée et coupée en dés
125 ml (½ tasse) de bouillon de poulet faible en sodium
½ c. à café (½ c. à thé) de cannelle
¼ c. à café (¼ c. à thé) de piment de la Jamaïque
¼ c. à café (¼ c. à thé) de gingembre moulu

- Dans une casserole moyenne, chauffer l'huile à feu moyen-élevé. Ajouter le poulet et faire dorer sur toutes les faces. Ajouter la citrouille, le bouillon, la cannelle, le piment de la Jamaïque, le gingembre et porter à ébullition. Couvrir, réduire la chaleur et laisser mijoter environ 20 min, jusqu'à ce que le poulet ait perdu sa couleur rosée à l'intérieur et que la citrouille soit tendre. Laisser refroidir.
- Mettre la préparation dans un mélangeur et réduire en purée onctueuse à vitesse rapide.

INFORMATION NUTRITIONNELLE
Par portion de 125 ml (½ tasse)

Calories	70 Kcal
Glucides (hydrates de carbone)	3 g
Fibres	0 g
Matière grasse	4 g
Protéines	7 g
Fer	1 mg

Poulet, riz brun et pois sucrés

500 ml (2 tasses)

Le cari donnera un goût tout à fait nouveau à ce repas sans être piquant.

Conseil:
Utiliser des produits contenant des grains entiers comme le riz brun ou le pain de blé entier afin d'augmenter la ration quotidienne en fibres.

1 c. à soupe d'huile d'olive
180 g (6 oz) de cuisse de poulet, désossée, sans la peau et hachée
50 g (½ tasse) d'oignons, hachés
½ c. à café (½ c. à thé) de poudre de cari
375 ml (1 ½ tasse) de bouillon de poulet faible en sodium
95 g (½ tasse) de riz brun à longs grains, rincé
100 g (1 tasse) de pois sucrés congelés

- Dans une casserole moyenne, chauffer l'huile à feu moyen-élevé. Ajouter le poulet et faire griller sur toutes les faces. Réserver dans une assiette.
- Dans la même casserole, ajouter les oignons, le cari et cuire sans colorer environ 3 min, jusqu'à ce qu'ils soient tendres. Ajouter le bouillon, le riz et porter à ébullition. Couvrir, réduire la chaleur et laisser mijoter pendant 25 à 30 min, jusqu'à ce que le riz soit tendre. Ajouter les pois, le poulet et poursuivre la cuisson encore 10 min, jusqu'à ce que le poulet perde sa couleur rosée à l'intérieur. Laisser refroidir.
- Mettre la préparation dans un mélangeur et réduire en purée onctueuse à vitesse rapide.

INFORMATION NUTRITIONNELLE
Par portion de 125 ml (½ tasse)

Calories	193 Kcal
Glucides (hydrates de carbone)	26 g
Fibres	3 g
Matière grasse	5 g
Protéines	11 g
Fer	2 mg

Poulet et couscous citronné

500 ml (2 tasses)

Le couscous est un grain facile à cuisiner. Choisir le couscous de grains entiers pour plus de saveur et un apport nutritionnel optimal.

125 ml (½ tasse) de jus d'orange
250 ml (1 tasse) de bouillon de poulet faible en sodium
175 g (1 tasse) de couscous de blé entier
1 c. à soupe d'huile d'olive
180 g (6 oz) de poitrine de poulet, désossée, sans la peau et hachée
25 g (¼ tasse) d'oignons, hachés
1 c. à soupe de persil frais, haché

- Dans une casserole moyenne, porter à ébullition le jus d'orange et le bouillon de poulet. Ajouter le couscous, couvrir et retirer de la chaleur. Laisser reposer 5 min, jusqu'à ce que le couscous ait absorbé presque tout le liquide et qu'il soit tendre. Laisser refroidir.
- Pendant ce temps, dans une poêle, chauffer l'huile à feu moyen-élevé. Ajouter le poulet et cuire environ 5 min en remuant sans cesse, jusqu'à ce qu'il soit légèrement grillé et qu'il ait perdu sa couleur rosée à l'intérieur. Mettre le poulet dans une assiette et laisser refroidir. Dans la même poêle, ajouter les oignons et cuire en remuant environ 5 min, jusqu'à ce qu'ils soient tendres.
- Mettre les oignons, le poulet, le couscous dans un mélangeur et réduire en purée onctueuse à vitesse rapide. Saupoudrer de persil.

INFORMATION NUTRITIONNELLE Par portion de 125 ml (½ tasse)	
Calories	261 Kcal
Glucides (hydrates de carbone)	38 g
Fibres	2 g
Matière grasse	4 g
Protéines	16 g
Fer	1 mg

Poulet divin

500 ml (2 tasses)

Que vous soyez petit ou grand, ce plat deviendra un de vos favoris.

Conseil:

On peut remplacer le brocoli frais par du brocoli congelé. Cuire le brocoli congelé à la vapeur 30 sec et bien essorer pour retirer le maximum d'eau avant de s'en servir.

1 c. à soupe d'huile végétale
180 g (6 oz) de poitrine ou de cuisse de poulet, désossée, sans la peau et hachée
50 g (½ tasse) d'oignons, hachés
30 g (½ tasse) de champignons blancs, en tranches
250 ml (1 tasse) d'eau
180 g (1 tasse) de bouquets de brocoli frais
35 g (¼ tasse) de cheddar, râpé

- Dans une poêle antiadhésive, chauffer l'huile à feu moyen-élevé. Ajouter le poulet et le faire griller légèrement. Réserver dans une assiette.
- Dans la même poêle, ajouter les oignons et cuire environ 5 min en remuant, jusqu'à ce qu'ils soient tendres. Ajouter les champignons et poursuivre la cuisson en remuant environ 7 min, jusqu'à ce qu'ils soient dorés. Ajouter l'eau, le brocoli, le poulet et porter à ébullition. Couvrir, réduire la chaleur et laisser mijoter à feu doux environ 10 min, jusqu'à ce que le brocoli soit tendre et que le poulet ait perdu sa couleur rosée à l'intérieur. Laisser refroidir.
- Mettre la préparation dans un mélangeur, ajouter le fromage et réduire en purée onctueuse à vitesse rapide.

INFORMATION NUTRITIONNELLE
Par portion de 125 ml (½ tasse)

Calories	132 Kcal
Glucides (hydrates de carbone)	3 g
Fibres	1 g
Matière grasse	9 g
Protéines	10 g
Fer	1 mg
Vitamine C	18 mg

Poulet tropical

500 ml (2 tasses)

La mangue râpée fournit la vitamine A et C à ce mets. Ce repas au goût sucré est également riche en protéines. Il est toujours conseillé de peler le fruit, car la peau pourrait irriter la bouche du bébé.

· Conseil:

La mangue avec une pelure abîmée aura tendance à être plus fibreuse et à avoir un goût plus acide. Il est donc important de bien peler et râper la mangue pour aller chercher toute sa saveur.

1 c. à soupe d'huile végétale
25 g (¼ tasse) d'oignons, en dés
180 g (6 oz) de poitrine de poulet, désossée, sans la peau et hachée
50 g (¼ tasse) de riz brun à longs grains, rincé
125 ml (½ tasse) de bouillon de poulet faible en sodium
80 g (½ tasse) de mangue, pelée et coupée en dés

- Dans une casserole moyenne, chauffer l'huile à feu moyen-élevé. Ajouter les oignons et cuire environ 5 min en remuant, jusqu'à ce qu'ils soient tendres. Éviter de les colorer. Ajouter le poulet et cuire environ 7 min en remuant, jusqu'à ce qu'il soit légèrement doré. Ajouter le riz et cuire 1 min de plus. Ajouter le bouillon, la mangue et porter à ébullition. Couvrir, réduire la chaleur et laisser mijoter à feu doux environ 40 min, jusqu'à ce que le riz soit tendre et que le poulet ait perdu sa couleur rosée à l'intérieur. Laisser refroidir.
- Mettre la préparation dans un mélangeur et réduire en purée onctueuse à vitesse rapide.

INFORMATION NUTRITIONNELLE
Par portion de 125 ml (½ tasse)

Calories	127 Kcal
Glucides (hydrates de carbone)	13 g
Fibres	1 g
Matière grasse	2 g
Protéines	13 g
Fer	1 mg

Ragoût au poulet

500 ml (2 tasses)

Voici un repas classique et réconfortant pour votre bébé.

Pour les enfants plus grands : Mettre 125 ml (½ tasse) de purée dans un ramequin ou un plat à gratin. Couvrir de pâte à tarte, découper les initiales de votre enfant avec l'excédent de pâte et disposer sur le dessus. Préchauffer le four à 180 °C (350 °F) et cuire environ 12 min, jusqu'à ce que la purée soit chaude et que la pâte soit dorée.

1 c. à soupe d'huile végétale
180 g (6 oz) de poitrine de poulet, désossée, sans la peau et hachée
50 g (½ tasse) de carottes, râpées et coupées en dés
25 g (¼ tasse) d'oignons, en dés
30 g (¼ tasse) de céleri, en dés
1 petite pomme de terre, en cubes
250 ml (1 tasse) de bouillon de poulet faible en sodium
1 c. à soupe de persil frais, émincé

- Dans une casserole moyenne, chauffer l'huile à feu moyen-élevé. Ajouter le poulet et cuire jusqu'à ce qu'il soit légèrement doré. Réserver dans une assiette.
- Dans la même casserole, ajouter les carottes, les oignons, le céleri et cuire environ 5 min, jusqu'à ce qu'ils soient tendres. Éviter de les colorer. Ajouter les pommes de terre, le bouillon et porter à ébullition. Ajouter le poulet, couvrir, réduire la chaleur et laisser mijoter à feu doux environ 20 min, jusqu'à ce que les pommes de terre soient tendres et que le poulet ait perdu sa couleur rosée à l'intérieur. Ajouter le persil et laisser refroidir.
- Mettre la préparation dans un mélangeur et réduire en purée onctueuse à vitesse rapide.

INFORMATION NUTRITIONNELLE
Par portion de 125 ml (½ tasse)

Calories	120 Kcal
Glucides (hydrates de carbone)	7 g
Fibres	1 g
Matière grasse	4 g
Protéines	14 g
Fer	1 mg

Poulet jambalaya

500 ml (2 tasses)

Ce plat est le parfait équilibre entre les protéines, les légumes et les glucides. Il aidera votre enfant à passer une bonne journée.

Conseil:
Pour plus de saveur, ajouter une pincée de poudre de chili au mélange de légumes.

1 c. à soupe d'huile d'olive
180 g (6 oz) de poitrine de poulet, désossée, sans la peau et hachée
50 g (½ tasse) de carottes, râpées et coupées en dés
25 g (¼ tasse) d'oignons, en dés
30 g (¼ tasse) de céleri, en dés
45 g (¼ tasse) de riz blanc à longs grains
250 ml (1 tasse) de bouillon de poulet faible en sodium
1 feuille de laurier

- Dans une poêle moyenne, chauffer l'huile à feu moyen-élevé. Ajouter le poulet et cuire jusqu'à ce qu'il soit légèrement doré. Réserver dans une assiette.
- Dans la même poêle, ajouter les carottes, les oignons, le céleri et cuire environ 5 min jusqu'à ce que le tout soit tendre. Ajouter le riz et mélanger pour l'enduire d'huile. Ajouter le bouillon de poulet et la feuille de laurier. Porter à ébullition, ajouter le poulet et son jus. Couvrir, réduire la chaleur à feu doux et laisser mijoter environ 20 min, jusqu'à ce que le riz soit tendre et qu'il ait presque tout absorbé le liquide. Laisser refroidir et jeter la feuille de laurier.
- Mettre la préparation dans un mélangeur et réduire en purée onctueuse à vitesse rapide.

INFORMATION NUTRITIONNELLE Par portion de 125 ml (½ tasse)	
Calories	134 Kcal
Glucides (hydrates de carbone)	12 g
Fibres	1 g
Matière grasse	4 g
Protéines	12 g
Fer	1 mg

Porc, pruneaux et pommes, p. 137

Flan aux fruits, p. 150

Chou-fleur, patates douces et épinards, p. 157

Pâtes au brocoli, au jambon et au fromage, p. 168

Dinde et canneberges

500 ml (2 tasses)

Ne privez pas vos enfants des grandes fêtes !

Conseil :
Prendre 250 ml (1 tasse) de reste de dinde cuite et hachée et l'ajouter à la préparation avant de la réduire en purée.

Pour un risotto tout simple, ajouter cette purée au riz cuit avec un peu de bouillon de poulet faible en sodium.

1 c. à soupe d'huile d'olive
50 g (½ tasse) de carottes, râpées et coupées en dés
50 g (½ tasse) d'oignons, en dés
30 g (¼ tasse) de céleri, en dés
½ c. à café (½ c. à thé) de thym séché
180 g (6 oz) de poitrine de dinde, désossée, sans la peau et hachée
125 ml (½ tasse) de bouillon de poulet faible en sodium
30 g (¼ tasse) de canneberges fraîches ou congelées

- Dans une casserole moyenne, chauffer l'huile à feu moyen-élevé. Ajouter les carottes, les oignons, le céleri et bien mélanger. Cuire environ 5 min en remuant, jusqu'à ce que les légumes soient tendres.
- Ajouter la dinde et faire dorer légèrement. Ajouter le bouillon, les canneberges et racler les morceaux de dinde grillée sur les contours de la casserole. Porter à ébullition, couvrir, réduire la chaleur et laisser mijoter environ 30 min, jusqu'à ce que les canneberges soient très tendres et que la dinde ait perdu sa couleur rosée à l'intérieur. Laisser refroidir.
- Mettre la préparation dans un mélangeur et réduire en purée onctueuse à vitesse rapide.

INFORMATION NUTRITIONNELLE
Par portion de 125 ml (½ tasse)

Calories . . . . .115 Kcal
Glucides (hydrates de carbone) . . . . .5 g
Fibres . . . . .1 g
Matière grasse . . . . .6 g
Protéines . . . . .10 g
Fer . . . . 1 mg

Bœuf

500 ml (2 tasses)

Conseil :
Pour plus de saveur, remplacer l'eau par la même quantité de bouillon de bœuf faible en sodium.

240 g (8 oz) de bœuf haché maigre
250 ml (1 tasse) d'eau

- Dans une poêle, faire griller le bœuf haché à feu moyen-élevé environ 7 min en le brisant en gros morceaux, jusqu'à ce qu'il soit bien cuit. Égoutter et laisser refroidir.
- Mettre la viande dans un mélangeur, ajouter l'eau et réduire en purée onctueuse à vitesse rapide.

INFORMATION NUTRITIONNELLE
Par portion de 60 ml (¼ tasse)

Calories	115 Kcal
Glucides (hydrates de carbone)	0 g
Fibres	0 g
Matière grasse	8 g
Protéines	10 g
Fer	1 mg

Bœuf au brocoli

500 ml (2 tasses)

Pour les enfants plus grands :
Pour un repas du soir simple, verser la purée sur un nid de pâtes aux œufs.

180 g (6 oz) de bœuf haché maigre
360 g (2 tasses) de bouquets de brocoli avec les tiges, hachés
125 ml (½ tasse) de bouillon de bœuf faible en sodium

- Dans une poêle, faire griller le bœuf haché à feu moyen-élevé environ 7 min en le brisant en gros morceaux, jusqu'à ce qu'il soit bien cuit. Égoutter et remettre dans la poêle.
- Ajouter le brocoli et le bouillon. Couvrir, réduire la chaleur et laisser mijoter à feu doux environ 15 min, jusqu'à ce que le brocoli soit très tendre. Laisser refroidir.
- Mettre le tout dans un mélangeur et réduire en purée onctueuse à vitesse rapide.

INFORMATION NUTRITIONNELLE
Par portion de 125 ml (½ tasse)

Calories	85 Kcal
Glucides (hydrates de carbone)	3 g
Fibres	1 g
Matière grasse	5 g
Protéines	8 g
Fer	1 mg
Vitamine C	41 mg

Bœuf, carottes et jus d'orange

Les carottes et le jus d'orange sont les éléments parfaits pour accompagner le bœuf.

180 g (6 oz) de bœuf haché maigre
100 g (1 tasse) de carottes, pelées et coupées en cubes
250 ml (1 tasse) de jus d'orange non additionné de sucre

- Dans une poêle antiadhésive, faire griller le bœuf haché à feu moyen-élevé environ 7 min en le brisant en gros morceaux, jusqu'à ce qu'il soit bien cuit. Égoutter et remettre dans la poêle.
- Ajouter les carottes, le jus d'orange et porter à ébullition. Couvrir, réduire la chaleur et laisser mijoter environ 20 min, jusqu'à ce que les carottes soient tendres. Laisser refroidir.
- Mettre la préparation dans un mélangeur et réduire en purée onctueuse à vitesse rapide.

INFORMATION NUTRITIONNELLE
Par portion de 125 ml (½ tasse)

Calories	141 Kcal
Glucides (hydrates de carbone)	10 g
Fibres	1 g
Matière grasse	7 g
Protéines	11 g
Fer	1 mg
Vitamine C	34 mg

Chili pour débutants

Voici un bon départ pour ce plat familial tant aimé !

500 ml (2 tasses)

180 g (6 oz) de bœuf haché maigre
280 g (1 tasse) de tomates en dés en conserve avec leur jus
110 g (½ tasse) de haricots rouges en conserve, rincés et essorés
30 g (¼ tasse) de poivrons verts, en dés
45 g (¼ tasse) de maïs en grains congelé

- Dans une poêle antiadhésive, faire griller le bœuf haché à feu moyen-élevé environ 7 min en le brisant en gros morceaux, jusqu'à ce qu'il soit bien cuit. Égoutter et remettre dans la poêle.
- Ajouter les tomates et leur jus, les haricots rouges, les poivrons et le maïs. Couvrir, réduire la chaleur et laisser mijoter 15 min, jusqu'à ce que les légumes soient tendres. Laisser refroidir.
- Mettre la préparation dans un mélangeur et réduire en purée onctueuse à vitesse rapide.

INFORMATION NUTRITIONNELLE
Par portion de 125 ml (½ tasse)

Calories	117 Kcal
Glucides (hydrates de carbone)	10 g
Fibres	3 g
Matière grasse	5 g
Protéines	8 g
Fer	1 mg

Hachis Parmentier

500 ml (2 tasses)

On est jamais trop jeune pour tomber amoureux de ce plat réconfortant!

Variante:
Remplacer le bœuf par du porc ou du poulet haché.

1 petite pomme de terre Yukon gold, pelée et coupée en cubes
180 g (6 oz) de bœuf haché maigre
25 g (¼ tasse) d'oignons, hachés
25 g (¼ tasse) de carottes, pelées et hachées
35 g (¼ tasse) de petits pois congelés
45 g (¼ tasse) de maïs congelé

- Mettre les cubes de pommes de terre dans une petite casserole remplie d'eau bouillante salée et porter à ébullition à feu moyen-élevé. Cuire environ 15 min, jusqu'à ce que le tout soit tendre. Égoutter.
- Pendant ce temps, dans une poêle, faire griller le bœuf haché à feu moyen-élevé environ 7 min en le brisant en gros morceaux, jusqu'à ce qu'il soit bien cuit. Égoutter et remettre dans la poêle. Ajouter les oignons, les carottes, les pois, le maïs et cuire environ 10 min en remuant occasionnellement, jusqu'à ce que les légumes soient tendres. Laisser refroidir.
- Mettre la préparation dans un mélangeur, ajouter les pommes de terre et réduire en purée onctueuse à vitesse rapide.

INFORMATION NUTRITIONNELLE
Par portion de 125 ml (½ tasse)

Calories	117 Kcal
Glucides (hydrates de carbone)	9 g
Fibres	2 g
Matière grasse	6 g
Protéines	7 g
Fer	1 mg

Porc

500 ml (2 tasses)

Utiliser de la viande maigre qui n'a pas été salée ou traitée. Éviter les charcuteries, les saucisses et le bacon, car ils sont saturés de sodium et de nitrates, ce qui est indigeste pour les tout-petits.

240 g (8 oz) de filet de porc, en dés
250 ml (1 tasse) d'eau

- Dans une casserole moyenne, porter le porc et l'eau à ébullition à feu moyen. Couvrir, réduire la chaleur et laisser mijoter environ 15 min, jusqu'à ce que le porc perde sa couleur rosée à l'intérieur. Laisser refroidir.
- Mettre la préparation dans un mélangeur et réduire en purée onctueuse à vitesse rapide.

INFORMATION NUTRITIONNELLE
Par portion de 60 ml (¼ tasse)

Calories	68 Kcal
Glucides (hydrates de carbone)	0 g
Fibres	0 g
Matière grasse	2 g
Protéines	12 g
Fer	1 mg

Porc, pommes et chou

500 ml (2 tasses)

La combinaison de ces saveurs d'automne saura combler les enfants.

Conseil :
Les pommes Golden Delicious sont recommandées pour la cuisson, car elles conservent toute leur saveur.

1 c. à soupe d'huile végétale
50 g (½ tasse) d'oignons, en dés
240 g (8 oz) de côtelettes de porc, désossées et coupées en tranches
1 pomme, pelée, évidée et coupée en cubes
180 g (1 tasse) de chou de Savoie, émincé
125 ml (½ tasse) de jus de pomme sucré ou de l'eau

- Dans une poêle antiadhésive, chauffer l'huile à feu moyen-élevé. Ajouter les oignons et cuire environ 5 min, jusqu'à ce qu'ils soient tendres. Éviter de les colorer. Ajouter le porc et faire dorer légèrement sur toutes les faces. Ajouter les pommes, le chou et cuire encore 5 min en remuant occasionnellement.
- Verser le jus de pomme dans la poêle, couvrir et poursuivre la cuisson environ 20 min, jusqu'à ce que les pommes et le chou soient tendres et que le porc ait perdu sa couleur rosée à l'intérieur. Laisser refroidir.
- Mettre la préparation dans un mélangeur et réduire en purée onctueuse à vitesse rapide. Ajouter du jus de pomme au besoin.

INFORMATION NUTRITIONNELLE
Par portion de 125 ml (½ tasse)

Calories	137 Kcal
Glucides (hydrates de carbone)	10 g
Fibres	2 g
Matière grasse	6 g
Protéines	11 g
Fer	1 mg

Porc, pruneaux et pommes

500 ml (2 tasses)

Cette purée regorge de fruits et de fibres. Elle saura garder vos petits en forme!

Conseil:

Si bébé a des problèmes de constipation, mettre une double dose de pruneaux, soit 90 g (½ tasse), et ne pas utiliser d'oignons.

45 g (¼ tasse) de pruneaux, dénoyautées
125 ml (½ tasse) de jus de pomme sucré
2 c. à café (2 c. à thé) d'huile d'olive
180 g (6 oz) de côtelettes de porc, désossées et coupées en tranches
25 g (¼ tasse) d'oignons, en tranches
1 pomme, pelée, évidée et coupée en tranches

- Dans un petit bol, mettre les pruneaux, verser le jus de pomme et laisser reposer environ 15 min, jusqu'à ce qu'ils soient légèrement ramollis.
- Pendant ce temps, dans une poêle, chauffer l'huile à feu moyen-élevé. Ajouter le porc et laisser dorer sur toutes les faces. Réserver dans une assiette.
- Dans la même poêle, ajouter les oignons et cuire environ 5 min en remuant, jusqu'à ce qu'ils soient tendres et dorés. Ajouter les pommes et cuire en remuant 5 min de plus. Ajouter les pruneaux, le jus de pomme et le porc. Couvrir, réduire la chaleur et laisser mijoter à feu doux environ 10 min, jusqu'à ce que les pommes et les pruneaux soient tendres et que le porc ait perdu sa couleur rosée à l'intérieur.
- Mettre la préparation dans un mélangeur et réduire en purée onctueuse à vitesse rapide.

INFORMATION NUTRITIONNELLE
Par portion de 125 ml (½ tasse)

Calories	120 Kcal
Glucides (hydrates de carbone)	16 g
Fibres	2 g
Matière grasse	4 g
Protéines	6 g
Fer	1 mg

Jambon et
pois cassés jaunes

500 ml (2 tasses)

Conseil:
Ajouter à cette recette du bouillon de légumes ou un peu plus de bouillon de poulet. Cette purée deviendra alors une bonne soupe pour toute la famille.

2 c. à café (2 c. à thé) d'huile d'olive
1 carotte, pelée et coupée en dés
1 branche de céleri, en dés
50 g (½ tasse) d'oignons, en dés
120 g (4 oz) de jambon cuit, en dés
250 ml (1 tasse) de bouillon de poulet faible en sodium
60 g (½ tasse) de pois cassés jaunes séchés, rincés

- Dans une casserole moyenne, chauffer l'huile à feu moyen-élevé. Ajouter les carottes, le céleri, les oignons, le jambon et cuire environ 7 min en remuant de temps en temps, jusqu'à ce que les carottes soient tendres.
- Ajouter le bouillon et les pois. Couvrir, réduire la chaleur et laisser mijoter environ 45 min, jusqu'à ce que les pois soient tendres. Laisser reposer.
- Mettre la préparation dans un mélangeur et réduire en purée onctueuse à vitesse rapide.

INFORMATION NUTRITIONNELLE Par portion de 125 ml (½ tasse)	
Calories	160 Kcal
Glucides (hydrates de carbone)	19 g
Fibres	7 g
Matière grasse	4 g
Protéines	12 g
Fer	2 mg

Jambon, bette à carde et pommes de terre

500 ml (2 tasses)

Cette purée santé hivernale saura rassasier les petits pour toute la journée !

1 c. à soupe d'huile d'olive
25 g (¼ tasse) d'oignons, en tranches
120 g (4 oz) de jambon cuit, en dés
1 petite pomme de terre, pelée et coupée en cubes
100 g (2 tasses) de bette à carde, hachée
125 ml (½ tasse) de bouillon de légumes faible en sodium

- Dans une casserole moyenne, chauffer l'huile à feu moyen-élevé. Ajouter les oignons et cuire environ 5 min en remuant, jusqu'à ce qu'ils soient tendres. Éviter de les colorer. Ajouter le jambon et le faire dorer légèrement environ 3 min. Ajouter les pommes de terre, la bette à carde et le bouillon. Couvrir, réduire la chaleur et laisser mijoter à feu doux environ 15 min, jusqu'à ce que les pommes de terre soient tendres. Laisser refroidir.
- Mettre la préparation dans un mélangeur et réduire en purée onctueuse à vitesse rapide.

INFORMATION NUTRITIONNELLE
Par portion de 125 ml (½ tasse)

Calories . . . . 89 Kcal
Glucides (hydrates de carbone) . . . . 6 g
Fibres . . . . 1 g
Matière grasse . . . . 5 g
Protéines . . . . 5 g
Fer . . . . 1 mg

Tofu

250 ml (1 tasse)

La viande n'est pas nécessairement ce que préfèrent les tout petits bébés. C'est pourquoi le tofu devient une alternative intéressante et facile à cuisiner. Le tofu prendra la saveur des aliments avec lesquels il sera cuisiné. Essayez-le!

120 g (4 oz) de tofu ferme, en cubes

- Mettre le tofu dans un mélangeur et réduire en purée onctueuse à vitesse rapide.

INFORMATION NUTRITIONNELLE	
Par portion de 60 ml (¼ tasse)	
Calories	49 Kcal
Glucides (hydrates de carbone)	2 g
Fibres	0 g
Matière grasse	3 g
Protéines	5 g
Fer	1 mg

Tofu, pommes et prunes

500 ml (2 tasses)

Ajouter le tofu aux fruits pour un repas complet et sans embarras.

Pour les enfants plus grands : Cette recette, ou toute autre recette qui combine tofu soyeux et purée de fruits, remplace la viande. Le tofu a comme particularité de contenir toutes les protéines nécessaires pour un bon équilibre alimentaire.

2 prunes, pelées et dénoyautées
250 ml (1 tasse) de compote de pommes non additionnée de sucre
60 g (2 oz) de tofu soyeux

• Mettre tous les ingrédients dans un mélangeur et réduire en purée onctueuse à vitesse rapide.

INFORMATION NUTRITIONNELLE
Par portion de 125 ml (½ tasse)

Calories . . . . 55 Kcal
Glucides (hydrates de carbone). . . . . .11 g
Fibres . . . . .1 g
Matière grasse . . . . .1 g
Protéines . . . . .2 g
Fer . . . . 1 mg

Tofu, abricots et poires

500 ml (2 tasses)

Conseil:
La consistance du tofu soyeux est tendre et contient plus de liquide.

4 abricots mûrs, dénoyautés
1 poire mûre, pelée et coupée en tranches
60 g (2 oz) de tofu soyeux

• Mettre les fruits et le tofu dans un mélangeur et réduire en purée onctueuse à vitesse rapide.

INFORMATION NUTRITIONNELLE
Par portion de 125 ml (½ tasse)

Calories	39 Kcal
Glucides (hydrates de carbone)	7 g
Fibres	1 g
Matière grasse	1 g
Protéines	2 g
Fer	1 mg

Tofu, courge musquée et maïs

500 ml (2 tasses)

Les bébés adorent ce repas complet sucré et très nourrissant.

150 g (1 tasse) de courge musquée, pelée et coupée en dés
250 ml (1 tasse) de bouillon de légumes faible en sodium
90 g (½ tasse) de maïs en grains congelé
60 g (2 oz) de tofu soyeux

- Dans une casserole moyenne, porter à ébullition la courge et le bouillon à feu moyen-élevé. Couvrir, réduire la chaleur et laisser mijoter douce- ment environ 20 min, jusqu'à ce que la courge soit tendre. Ajouter le maïs et poursuivre la cuisson 5 min. Laisser refroidir.
- Mettre la préparation dans un mélangeur et réduire en purée onc- tueuse à vitesse rapide.

INFORMATION NUTRITIONNELLE
Par portion de 125 ml (½ tasse)

Calories	58 Kcal
Glucides (hydrates de carbone)	9 g
Fibres	2 g
Matière grasse	1 g
Protéines	5 g
Fer	2 mg

Nourriture pour bébé de
neuf mois et plus

Planification des repas

À partir de 9 mois, on peut introduire les produits laitiers comme le yogourt et le fromage aux autres ingrédients du repas ainsi que : les fruits coupés en petits dés, les légumes cuits, la viande tendre et hachée, les casseroles avec des nouilles coupées. Passer les aliments au mélangeur et réduire en purée moins lisse ; votre bébé découvrira de nouvelles textures.

Repas	1	2	3
Petit-déjeuner	• 125 ml (½ tasse) de céréales pour bébé enrichies de fer • 60 ml (¼ tasse) de Yogourt aux bananes et à l'avocat (p. 152) • Lait maternel ou préparation lactée pour nourrisson à volonté	• 125 ml (½ tasse) de Petit-déjeuner au riz et aux fruits (p. 155) • Lait maternel ou préparation lactée pour nourrisson à volonté	• 125 ml (½ tasse) de céréales pour bébé enrichies de fer • 60 ml (¼ tasse) d'Explosion de bananes et de griottes (p. 149) • Lait maternel ou préparation lactée pour nourrisson à volonté
Collation	• 60 ml (¼ tasse) de Flan aux fruits (p. 150) • ¼ de tortilla, tartinée de fromage à la crème • Eau	• 60 ml (¼ tasse) de Mangue (p. 33) • Tranche de pain de blé entier, grillée et tartinée de margarine • Eau	• 60 ml (¼ tasse) de Bleuets (p. 29) • 60 ml (¼ tasse) de céréales de riz soufflé sèches • Eau
Repas du midi	• 125 ml (½ tasse) de Ragoût au poulet (p. 127) • Lait maternel ou préparation lactée pour nourrisson à volonté	• 125 ml (½ tasse) de Patates douces et fromage cottage (p. 161) • Lait maternel ou préparation lactée pour nourrisson à volonté	• 125 ml (½ tasse) de Compote de pommes et ricotta (p. 148) • Tranche de pain de blé entier, grillée et tartinée de margarine • Lait maternel ou préparation lactée pour nourrisson à volonté
Collation	• 60 ml (¼ tasse) de céréales de riz soufflé sèches • Pêches fraîches, en dés • Eau	• Biscuit pour bébé en forme d'animal • Raisins, en tranches • Eau	• 60 ml (¼ tasse) de Bananes, mangue et fromage cottage (p. 160) • Eau
Repas du soir	• 125 ml (½ tasse) de Dinde et canneberges (p. 129) • 60 ml (¼ tasse) de Mangue (p. 33) • Lait maternel ou préparation lactée pour nourrisson à volonté	• 125 ml (½ tasse) de Pâtes au brocoli, au jambon et au fromage (p. 168) • Poire mûre, en dés • Lait maternel ou préparation lactée pour nourrisson à volonté	• 125 ml (½ tasse) de Hachis Parmentier (p. 134) • 60 ml (¼ tasse) de Pommes (p. 26) • Lait maternel ou préparation lactée pour nourrisson à volonté
Collation	• Lait maternel ou préparation lactée pour nourrisson à volonté	• Lait maternel ou préparation lactée pour nourrisson à volonté	• Lait maternel ou préparation lactée pour nourrisson à volonté

Yogourt aux framboises et au citron

500 ml (2 tasses)

Ajoutez votre purée de fruits frais maison à du yogourt nature. Il sera plus santé que les yogourts aux fruits du commerce.

Conseil:

Les bactéries présentes dans le yogourt se nomment *lactobacillus*. Ces bactéries lactiques aident au maintien d'un bon équilibre du système gastro-intestinal. Les bébés digèrent facilement le yogourt. Éviter les yogourts commerciaux avec colorant et agents de conservation.

Variante:

Pour changer de saveur chaque jour, remplacer tout simplement les framboises par la même quantité d'un autre fruit.

60 g (½ tasse) de framboises fraîches ou congelées
375 g (1 ½ tasse) de yogourt à la vanille
Le zeste râpé et le jus d'un citron frais pressé

- Mettre tous les ingrédients dans un mélangeur et réduire en purée onctueuse à vitesse rapide.
- *Faire d'avance:* Conserver le yogourt aux fruits dans un contenant hermétique au réfrigérateur pour 1 semaine.

INFORMATION NUTRITIONNELLE
Par portion de 60 ml (¼ tasse)

Calories	34 Kcal
Glucides (hydrates de carbone)	4 g
Fibres	1 g
Matière grasse	2 g
Protéines	2 g
Fer	0 mg

Compote de pommes et ricotta

500 ml (2 tasses)

La matière grasse est un nutriment essentiel pour le développement du cerveau du bébé. En ajoutant de la ricotta à ses fruits ou à ses légumes préférés, on accumule les calories nécessaires pour les poussées de croissance.

Pour les enfants plus grands : Servir cette purée sur un gâteau quatre-quarts.

480 g (4 tasses) de pommes Golden Delicious, pelées et coupées en tranches (environ 5)
125 ml (½ tasse) de jus de pomme non additionné de sucre
65 g (¼ tasse) de ricotta ou de mascarpone
1 c. à café (1 c. à thé) de cannelle moulue
½ c. à café (½ c. à thé) de zeste de citron, râpé
¼ c. à café (¼ c. à thé) de gingembre moulu
¼ c. à café (¼ c. à thé) de muscade moulue

- Dans une casserole moyenne, mettre les pommes et le jus. Couvrir et cuire doucement, jusqu'à ce que les pommes soient réduites en tout petits morceaux et qu'elles soient tendres.
- Mettre la préparation dans un mélangeur, ajouter la ricotta, la cannelle, le zeste, le gingembre, la muscade et réduire en purée à vitesse rapide.
- *Faire d'avance :* Conserver la purée dans un contenant hermétique au réfrigérateur pour 1 semaine.

INFORMATION NUTRITIONNELLE
Par portion de 60 ml (¼ tasse)

Calories	46 Kcal
Glucides (hydrates de carbone)	8 g
Fibres	1 g
Matière grasse	1 g
Protéines	1 g
Fer	0 mg

Explosion de bananes et de griottes

250 ml (1 tasse)

Conseil:
On peut remplacer les griottes fraîches par des griottes en conserve ou congelées.

Pour les enfants plus grands:
Voici un excellent «smoothie» qu'apprécieront les grands enfants et même les adultes.

1 banane très mûre
75 g (½ tasses) de griottes, dénoyautées
60 ml (¼ tasse) de jus de griottes
125 g (½ tasse) de yogourt nature

- Mettre tous les ingrédients dans un mélangeur et réduire en purée lisse à vitesse rapide.
- *Faire d'avance:* Conserver la purée dans un contenant hermétique au réfrigérateur pour 3 jours. Ne pas congeler.

INFORMATION NUTRITIONNELLE
Par portion de 125 ml (½ tasse)

Calories	149 Kcal
Glucides (hydrates de carbone)	31 g
Fibres	2 g
Matière grasse	2 g
Protéines	3 g
Fer	0 mg

Flan aux fruits

Un dessert crémeux tout
simple pour bébé!

Conseil:

Remplacer les bananes et les
framboises par 125 ml
(½ tasse) d'une purée de
fruits suggérée dans le
chapitre précédent.

2 jaunes d'œufs
125 ml (½ tasse) de lait entier homogénéisé
45 g (¼ tasse) de bananes, en tranches
30 g (¼ tasse) de framboises
½ c. à café (½ c. à thé) de zeste de citron, râpé

- Préchauffer le four à 180 °C (350 °F).
- Mettre tous les ingrédients dans un mélangeur et réduire en purée lisse à vitesse rapide.
- Verser la purée dans 4 ramequins de 175 ml (¾ tasse). Mettre les ramequins dans une lèchefrite. Verser de l'eau bouillante dans la lèchefrite jusqu'à la moitié des ramequins. Cuire au four environ 30 min jusqu'à ce que le flan soit cuit. Servir tiède ou froid.
- *Faire d'avance:* Conserver la purée dans un contenant hermétique au réfrigérateur pour 3 jours.

INFORMATION NUTRITIONNELLE
Par portion

Calories	66 Kcal
Glucides (hydrates de carbone)	6 g
Fibres	1 g
Matière grasse	4 g
Protéines	3 g
Fer	une trace

Polenta aux abricots

500 ml (2 tasses)

Le mélange doux et crémeux de la polenta avec les abricots et le yogourt est une pure merveille.

80 g (½ tasse) d'abricots séchés, hachés
375 ml (1 ½ tasse) de bouillon de poulet faible en sodium
50 g (½ tasse) de semoule de maïs
60 g (¼ tasse) de yogourt nature

- Dans une casserole moyenne, porter les abricots et le bouillon à ébullition. Verser graduellement la semoule et bien mélanger. Réduire la chaleur et cuire doucement en remuant de temps en temps, jusqu'à ce que le tout soit crémeux. Laisser refroidir légèrement.
- Mettre la préparation dans un mélangeur, ajouter le yogourt et réduire en purée onctueuse à vitesse rapide.

INFORMATION NUTRITIONNELLE
Par portion de 60 ml (¼ tasse)

Calories	80 Kcal
Glucides (hydrates de carbone)	12 g
Fibres	1 g
Matière grasse	2 g
Protéines	3 g
Fer	0 mg

Yogourt aux bananes et à l'avocat

500 ml (2 tasses)

Pour les enfants plus grands :
Étendre la purée sur une tranche de pain de blé entier, ajouter quelques tranches de banane et refermer le sandwich avec une autre tranche de pain de blé entier.

1 banane
1 avocat, pelé et dénoyauté
125 g (½ tasse) de yogourt nature

- Mettre tous les ingrédients dans un mélangeur et réduire en purée lisse à vitesse rapide.
- *Faire d'avance :* Conserver la purée dans un contenant hermétique au réfrigérateur pour 3 jours. Ne pas congeler.

INFORMATION NUTRITIONNELLE	
Par portion de 60 ml (¼ tasse)	
Calories	65 Kcal
Glucides (hydrates de carbone)	9 g
Fibres	1 g
Matière grasse	3 g
Protéines	1 g
Fer	0 mg

Maïs sucré crémeux

500 ml (2 tasses)

Conseil:
Pour rehausser le goût de cette purée, ajouter ¼ c. à café (¼ c. à thé) de zeste d'orange râpé.

1 c. à soupe de beurre
360 g (2 tasses) de maïs en grains congelé, décongelé
125 ml (½ tasse) d'eau
60 ml (¼ tasse) de crème sure, de crème aigre ou de yogourt nature

- Dans une poêle, faire fondre le beurre à feu moyen-élevé. Ajouter le maïs et bien mélanger pour l'enduire de beurre. Verser l'eau. Couvrir, réduire la chaleur à feu moyen et cuire environ 10 min, jusqu'à ce que le maïs soit très tendre. Laisser refroidir.
- Mettre la préparation dans un mélangeur, ajouter la crème sure et réduire en purée onctueuse à vitesse rapide.

INFORMATION NUTRITIONNELLE
Par portion de 60 ml (¼ tasse)

Calories	64 Kcal
Glucides (hydrates de carbone)	9 g
Fibres	1 g
Matière grasse	3 g
Protéines	1 g
Fer	une trace

Pudding crémeux
au riz brun

500 ml (2 tasses)

Il est préférable d'utiliser des grains de riz courts ou moyens pour réduire la matière grasse de ce goûter classique.

50 g (¼ tasse) de riz brun à grains courts, rincé
60 ml (¼ tasse) d'eau
375 ml (1 ½ tasse) de lait entier homogénéisé
50 g (¼ tasse) de cassonade (sucre roux)
1 c. à soupe de vanille
60 g (¼ tasse) de groseilles (facultatif)

- Dans une petite casserole, mélanger le riz, l'eau et porter à ébullition à feu moyen-élevé. Couvrir, réduire la chaleur à feu doux et laisser cuire doucement environ 20 min, jusqu'à ce que le riz ait absorbé presque tout le liquide. Ajouter le lait, la cassonade, la vanille et les groseilles. Augmenter la chaleur à feu moyen-élevé et porter à ébullition en remuant souvent. Réduire la chaleur à feu moyen et poursuivre la cuisson environ 30 min en remuant souvent, jusqu'à consistance dense et épaisse. Laisser refroidir légèrement.
- Mettre la préparation dans un mélangeur et réduire en purée à vitesse rapide, jusqu'à consistance désirée.

INFORMATION NUTRITIONNELLE Par portion de 60 ml (¼ tasse)	
Calories	71 Kcal
Glucides (hydrates de carbone)	12 g
Fibres	0 g
Matière grasse	2 g
Protéines	2 g
Fer	une trace

Petit-déjeuner au riz et aux fruits

500 ml (2 tasses)

Le riz est une bonne solution de remplacement aux flocons d'avoine.

Conseil :

Saupoudrer la préparation de germe de blé pour obtenir une purée encore plus riche en fibres.

Variante :

On peut remplacer les fruits proposés par tout autre fruit aimé par bébé.

95 g (½ tasse) de riz brun à grains moyens, rincé
125 ml (½ tasse) de lait entier homogénéisé
125 ml (½ tasse) d'eau
1 c. à café (1 c. à thé) de vanille
½ c. à café (½ c. à thé) de cannelle moulue
½ c. à café (½ c. à thé) de sel
45 g (¼ tasse) de bananes, en tranches
50 g (¼ tasse) de fraises, hachées

- Dans une casserole moyenne, mélanger le riz, le lait, l'eau, la vanille, la cannelle et le sel. Porter à ébullition à feu moyen-élevé. Couvrir, réduire la chaleur et laisser cuire doucement en remuant de temps à temps environ 50 min, jusqu'à ce que le riz ait absorbé presque tout le liquide. Laisser refroidir.
- Mettre la préparation dans un mélangeur, ajouter les bananes, les fraises et réduire en purée lisse à vitesse rapide. Servir chaud avec un peu plus de lait si désiré, pour ajouter une texture plus crémeuse.

INFORMATION NUTRITIONNELLE Par portion de 60 ml (¼ tasse)	
Calories	108 Kcal
Glucides (hydrates de carbone)	17 g
Fibres	4 g
Matière grasse	2 g
Protéines	6 g
Fer	2 mg

Dattes, pommes et orge

500 ml (2 tasses)

L'orge est une excellente source de fibres solubles dans l'eau et a comme propriété d'être un antidiarrhéique.

Conseil:
Choisir l'orge perlé, qui ne nécessite pas de pré-trempage et cuit rapidement.

2 dattes, dénoyautées et hachées
120 g (1 tasse) de pommes, pelées et hachées
250 ml (1 tasse) de lait entier homogénéisé
90 g (½ tasse) d'orge

- Dans une casserole moyenne, sur feu moyen-élevé, porter à ébullition les dattes, les pommes, le lait et l'orge. Couvrir, réduire la chaleur à feu doux et cuire doucement environ 45 min, jusqu'à ce que l'orge soit tendre. Laisser refroidir.
- Mettre la préparation dans un mélangeur et réduire en purée onctueuse à vitesse rapide.

INFORMATION NUTRITIONNELLE
Par portion de 60 ml (¼ tasse)

Calories	74 Kcal
Glucides (hydrates de carbone)	14 g
Fibres	2 g
Matière grasse	1 g
Protéines	3 g
Fer	une trace

Chou-fleur, patates douces et épinards

500 ml (2 tasses)

N'ayez pas peur d'introduire au menu de nouvelles saveurs. La pâte de cari douce viendra rehausser ce plat.

Conseil:
Pour toute la famille, servir cette purée sur du riz basmati.

1 c. à soupe d'huile végétale
25 g (¼ tasse) d'oignons, hachés
1 c. à café (1 c. à thé) de grains de moutarde noire
2 c. à café (2 c. à thé) de pâte de cari douce
250 ml (1 tasse) de lait entier homogénéisé
125 ml (½ tasse) de bouillon de légumes ou de poulet faible en sodium
100 g (1 tasse) de chou-fleur, haché
125 g (½ tasse) de patates douces, pelées et hachées
25 g (1 tasse) d'épinards frais, hachés

- Dans une poêle, chauffer l'huile à feu moyen. Ajouter les oignons et cuire environ 5 min en remuant, jusqu'à ce qu'ils soient tendres. Ajouter les grains de moutarde, la pâte de cari et cuire 1 min. Verser le lait, le bouillon et porter à ébullition. Ajouter le chou-fleur et les patates. Couvrir, réduire la chaleur à feu doux et laisser mijoter environ 15 min, jusqu'à ce que les légumes soient tendres. Ajouter les épinards, retirer du feu et laisser refroidir.
- Mettre la préparation dans un mélangeur et réduire en purée onctueuse à vitesse rapide.

INFORMATION NUTRITIONNELLE
Par portion de 60 ml (¼ tasse)

Calories . . . . 58 Kcal
Glucides (hydrates de carbone) . . . . 5 g
Fibres . . . . 1 g
Matière grasse . . . . 3 g
Protéines . . . . 2 g
Fer . . . . une trace

Frittata aux légumes

On peut utiliser des restes de purée de légumes pour la préparation de ces bouchées.

4 portions

4 jaunes d'œufs
60 g (¼ tasse) de purée de légumes de votre choix, décongelée
60 ml (¼ tasse) de lait entier homogénéisé
35 g (¼ tasse) de cheddar, râpé

- Préchauffer le four à 160 °C (325 °F).
- Mettre les jaunes d'œufs, la purée de légumes et le lait dans un mélangeur. Réduire la préparation en purée lisse à vitesse rapide.
- Verser la préparation dans un plat de verre allant au four de 20 x 20 cm (8 x 8 po) badigeonné d'huile. Parsemer de cheddar et cuire au four environ 35 min, jusqu'à ce que la préparation aux œufs ait gonflé. Laisser refroidir légèrement. Couper en bouchées et servir.

INFORMATION NUTRITIONNELLE	
Par portion	
Calories	117 Kcal
Glucides (hydrates de carbone)	2 g
Fibres	0 g
Matière grasse	10 g
Protéines	6 g
Fer	1 mg

Fromage cottage aux fruits

500 ml (2 tasses)

En ajoutant du fromage cottage aux fruits ou aux légumes, on obtient rapidement un repas avec protéines.

Conseil:
Utiliser des fruits décongelés quand il est impossible de trouver des fruits frais.

50 g (½ tasse) de quartiers de mandarine en conserve, égouttés et rincés
100 g (½ tasse) de fraises, en tranches
80 g (½ tasse) de pêches, en tranches
120 g (½ tasse) de fromage cottage 2 %
60 ml (¼ tasse) de nectar de pêche non additionné de sucre

- Mettre tous les ingrédients dans un mélangeur et réduire en purée lisse à vitesse rapide.
- *Faire d'avance:* Conserver la purée dans un contenant hermétique au réfrigérateur pour 3 jours. Ne pas congeler.

INFORMATION NUTRITIONNELLE	
Par portion de 60 ml (¼ tasse)	
Calories	30 Kcal
Glucides (hydrates de carbone)	5 g
Fibres	1 g
Matière grasse	0 g
Protéines	2 g
Fer	0 mg

Bananes, mangue et fromage cottage

500 ml (2 tasses)

Pour les enfants plus grands :
Servir en trempette avec des branches de céleri, des morceaux de pomme et de poire.

1 banane
1 mangue, pelée, dénoyautée et coupée en cubes
120 g (½ tasse) de fromage cottage à petits grains

- Mettre tous les ingrédients dans un mélangeur et réduire en purée lisse à vitesse rapide.
- *Faire d'avance :* Conserver la purée dans un contenant hermétique au réfrigérateur pour 3 jours. Ne pas congeler.

INFORMATION NUTRITIONNELLE
Par portion de 60 ml (¼ tasse)

Calories	43 Kcal
Glucides (hydrates de carbone)	8 g
Fibres	1 g
Matière grasse	0 g
Protéines	2 g
Fer	0 mg

« Smoothie » aux bananes et aux oranges, p. 172

Lait chocolaté aux bananes et au beurre d'arachide, p. 173

Gaufres aux noix, p. 177

Pain doré surprise, p. 181

Patates douces
et fromage cottage

500 ml (2 tasses)

L'ajout de fromage cottage apporte les protéines à ce repas.

500 g (2 tasses) de patates douces, pelées et coupées en cubes (environ 2 petites)
125 ml (½ tasse) de jus de pomme non additionné de sucre
120 g (½ tasse) de fromage cottage à petits grains

- Mettre les patates dans une marguerite au-dessus d'une casserole avec un peu d'eau bouillante. Couvrir et laisser cuire les patates à la vapeur environ 20 min, jusqu'à ce qu'elles soient tendres. Laisser refroidir.
- Mettre les patates dans un mélangeur, ajouter le jus de pomme, le fromage cottage et réduire en purée à vitesse rapide.

INFORMATION NUTRITIONNELLE	
Par portion de 60 ml (¼ tasse)	
Calories	46 Kcal
Glucides (hydrates de carbone)	8 g
Fibres	1 g
Matière grasse	0 g
Protéines	2 g
Fer	0 mg

Tomates, épinards et ricotta

500 ml (2 tasses)

La ricotta équilibre l'acidité du mélange d'épinards et de tomates.

Conseil:
Les épinards frais sont souvent remplis de sable. Les laver dans un grand bassin d'eau à plusieurs reprises et retirer les tiges avant la cuisson.
Cuire les épinards à la vapeur pour couper l'amertume ou cuire dans un liquide à couvert dans une casserole.

Pour les enfants plus grands:
Mélanger la purée à des pâtes cuites.

1 c. à soupe d'huile d'olive
1 gousse d'ail, émincée
140 g (½ tasse) de tomates en dés en conserve dans leur jus
50 g (2 tasses) d'épinards, équeutés
65 g (¼ tasse) de ricotta
2 c. à café (2 c. à thé) de jus de citron frais pressé

- Dans une poêle, chauffer l'huile à feu moyen. Ajouter l'ail, les tomates et cuire environ 2 min pour laisser s'échapper l'arôme de l'ail sans le colorer. Ajouter les épinards et poursuivre la cuisson environ 3 min, jusqu'à ce qu'ils soient complètement ramollis. Laisser refroidir.
- Mettre la préparation dans un mélangeur, ajouter la ricotta, le jus de citron et réduire en purée lisse à vitesse rapide.

INFORMATION NUTRITIONNELLE
Par portion de 60 ml (¼ tasse)

Calories	35 Kcal
Glucides (hydrates de carbone)	3 g
Fibres	0 g
Matière grasse	3 g
Protéines	1 g
Fer	0 mg

Surprise aux épinards

500 ml (2 tasses)

Surprise! Le parmesan élimine toute l'amertume des épinards.

1 c. à soupe d'huile d'olive
25 g (¼ tasse) d'oignons, émincés
1 paquet de 300 g (10 oz) d'épinards frais, sans les tiges
125 ml (½ tasse) de crème moitié-moitié
30 g (¼ tasse) de parmesan, râpé

- Dans une poêle, chauffer l'huile à feu moyen-élevé. Ajouter les oignons et cuire en remuant environ 5 min, jusqu'à ce qu'ils soient tendres. Ajouter les épinards et la crème. Couvrir et poursuivre la cuisson environ 3 min, jusqu'à ce que les épinards soient ramollis. Retirer du feu et laisser refroidir légèrement.
- Mettre la préparation dans un mélangeur, ajouter le parmesan et réduire en purée lisse à vitesse rapide.

INFORMATION NUTRITIONNELLE
Par portion de 60 ml (¼ tasse)
Calories . . . . 56 Kcal
Glucides (hydrates de carbone) . . . . 2 g
Fibres . . . . 1 g
Matière grasse . . . . 4 g
Protéines . . . . 3 g
Fer . . . . 1 mg

Chou-fleur, tomates et cheddar

500 ml (2 tasses)

Dans la famille des choux, le chou-fleur est le plus facile à digérer et est une excellente source de potassium et de vitamine C.

2 c. à café (2 c. à thé) d'huile d'olive
25 g (¼ tasse) d'oignons, hachés
100 g (1 tasse) de bouquets de chou-fleur
140 g (½ tasse) de tomates en dés en conserve dans leur jus
35 g (¼ tasse) de cheddar, râpé

- Dans une poêle, chauffer l'huile à feu moyen-élevé. Ajouter les oignons et cuire en remuant environ 5 min sans les colorer, jusqu'à ce qu'ils soient tendres. Ajouter le chou-fleur et les tomates. Couvrir, réduire la chaleur et laisser cuire doucement environ 10 min, jusqu'à ce que le chou-fleur soit tendre. Laisser refroidir.
- Mettre la préparation dans un mélangeur, ajouter le cheddar et réduire en purée lisse à vitesse rapide.

INFORMATION NUTRITIONNELLE
Par portion de 60 ml (¼ tasse)

Calories	32 Kcal
Glucides (hydrates de carbone)	2 g
Fibres	1 g
Matière grasse	2 g
Protéines	1 g
Fer	0 mg

Gratin de brocoli et de chou-fleur

500 ml (2 tasses)

Le chou-fleur adoucit le goût du brocoli sans pour autant en changer la valeur nutritive.

Conseil :

Pour augmenter la teneur en fibres de ce plat de légumes, saupoudrer 1 c. à soupe de germe de blé avant de passer la préparation au mélangeur.

On peut conserver le germe de blé dans un contenant hermétique au réfrigérateur pour 6 mois et au congélateur pour 1 an.

100 g (1 tasse) de bouquets de brocoli
100 g (1 tasse) de bouquets de chou-fleur
250 ml (1 tasse) de bouillon de légumes non additionné de sodium
70 g (½ tasse) de cheddar, râpé

- Mettre le brocoli, le chou-fleur et le bouillon dans une casserole moyenne et porter à ébullition. Couvrir, réduire la chaleur et laisser cuire doucement environ 15 min, jusqu'à ce que les légumes soient très tendres. Laisser refroidir.
- Mettre la préparation dans un mélangeur, ajouter le cheddar et réduire en purée lisse à vitesse rapide.

INFORMATION NUTRITIONNELLE
Par portion de 60 ml (¼ tasse)

Calories	40 Kcal
Glucides (hydrates de carbone)	1 g
Fibres	1 g
Matière grasse	2 g
Protéines	4 g
Fer	0 mg

Repas du pêcheur

500 ml (2 tasses)

Plus souvent vous servirez du poisson, plus vous guiderez les petits vers une destination santé!

Variante:
On peut remplacer la truite par du saumon.

1 petite pomme de terre Yukon Gold, pelée et coupée en cubes
25 g (¼ tasse) d'oignons, hachés
120 g (4 oz) de filet de truite sans la peau
90 g (½ tasse) de maïs en grains congelé
50 g (½ tasse) de bouquets de brocoli
35 g (¼ tasse) de cheddar, râpé

- Mettre les pommes de terre dans une petite casserole d'eau salée. Porter à ébullition à feu moyen-élevé et cuire environ 15 min, jusqu'à ce qu'elles soient tendres. Égoutter.
- Pendant ce temps, dans une poêle, chauffer l'huile à feu moyen-élevé. Ajouter les oignons et cuire environ 5 min, jusqu'à ce qu'ils soient tendres. Ajouter la truite et faire dorer sur les 2 faces. Ajouter le maïs et le brocoli, couvrir et cuire environ 5 min, jusqu'à ce que le poisson se défasse en flocons à la pointe d'une fourchette et que le brocoli soit tendre. Laisser refroidir.
- Mettre la préparation dans un mélangeur, ajouter les pommes de terre, le fromage et réduire en purée à vitesse rapide.

INFORMATION NUTRITIONNELLE
Par portion de 125 ml (½ tasse)

Calories	63 Kcal
Glucides (hydrates de carbone)	12 g
Fibres	1 g
Matière grasse	0 g
Protéines	4 g
Fer	1 mg

Casserole de bœuf au fromage

500 ml (2 tasses)

Ce plat facile à exécuter est apprécié par les enfants de tout âge.

Pour les enfants plus grands : Verser 125 ml (½ tasse) de purée dans 75 g (1 tasse) de macaronis ou de pâtes de votre choix. Cette recette maison est plus nourrissante que celle qu'on retrouve dans le commerce.

180 g (6 oz) de bœuf haché maigre
25 g (¼ tasse) d'oignons, hachés
50 g (½ tasse) de carottes, pelées et hachées
280 g (1 tasse) de tomates en dés en conserve dans leur jus
70 g (½ tasse) de cheddar, râpé
Eau (facultatif)

- Dans une poêle, faire griller le bœuf haché à feu moyen-élevé environ 5 min en le brisant en gros morceaux, jusqu'à ce qu'il soit bien cuit. Égoutter et remettre dans la poêle. Ajouter les oignons, les carottes et les tomates dans leur jus. Couvrir et cuire environ 10 min en remuant de temps en temps, jusqu'à ce que les légumes soient cuits. Laisser refroidir.
- Mettre la préparation dans un mélangeur, ajouter le fromage et réduire en purée onctueuse à vitesse rapide. Ajouter de l'eau au besoin.

INFORMATION NUTRITIONNELLE
Par portion de 125 ml (½ tasse)

Calories	200 Kcal
Glucides (hydrates de carbone)	7 g
Fibres	1 g
Matière grasse	13 g
Protéines	15 g
Fer	2 mg

Pâtes au brocoli, au jambon et au fromage

500 ml (2 tasses)

Les enfants ne se lassent jamais d'un plat de pâtes. Éviter les plats de pâtes vendus dans le commerce ; il est préférable de préparer un plat de pâtes simple fait maison.

40 g (½ tasse) de pastinis
100 g (1 tasse) de bouquets de brocoli
120 g (4 oz) de jambon cuit, en dés
125 g (½ tasse) de fromage à la crème à saveur de fines herbes

- Dans une casserole remplie d'eau bouillante, cuire les pastinis et le brocoli environ 10 min, jusqu'à ce que le tout soit tendre. Égoutter et réserver 60 ml (¼ tasse) de liquide de cuisson. Ajouter le jambon, le fromage à la crème et le liquide réservé et bien mélanger.
- Mettre la préparation dans un mélangeur et réduire en purée onctueuse à vitesse rapide.

INFORMATION NUTRITIONNELLE
Par portion de 125 ml (½ tasse)

Calories	206 Kcal
Glucides (hydrates de carbone)	12 g
Fibres	1 g
Matière grasse	13 g
Protéines	9 g
Fer	1 mg
Vitamine C	24 mg

Nourriture pour bébé de
douze mois et plus

Planification des repas

À cet âge, le bébé peut poursuivre l'allaitement maternel comme il peut passer au lait entier homogé-néisé. Les bambins mangent de façon erratique. C'est pourquoi vous aurez plus de succès à nourrir votre bébé quand il a faim plutôt qu'à une heure très précise. N'oubliez pas d'inclure les différents groupes alimentaires: céréales, fruits et légumes, produits laitiers et viandes ou leurs équivalents. Chaque groupe alimentaire fournit des nutriments uniques; il est donc important de composer les menus des tout-petits en incluant des aliments de chaque groupe tous les jours. En fait, la meilleure règle à suivre est d'inclure 3 à 4 groupes d'aliments à chaque repas et 1 à 2 groupes par collation. Cette règle vous garantira que bébé ingère les nutriments dont il a besoin pour sa croissance et son développement. Voir l'introduction pour avoir plus de détails sur la planification des repas.

Repas	1	2	3
Petit-déjeuner	• 2 Crêpes multigrains (p. 178) tartinées de Poires et figues (p. 65) • 125 ml (½ tasse) de lait entier homogénéisé	• Gaufres aux noix (p. 177) • Tofu, abricots et poires (p. 142) • 125 ml (½ tasse) de lait entier homogénéisé	• Pain doré surprise (p. 181) et Trempette au yogourt et aux fruits (p. 184) • 60 ml (¼ tasse) de Pommes, rhubarbes et baies (p. 69) • 125 ml (½ tasse) de lait entier homogénéisé
Collation	• 60 ml (¼ tasse) de Melon en folie (p. 67) • Biscuits pour bébé en forme d'animaux • 125 ml (½ tasse) de jus de pomme, dilué avec de l'eau	• Muffin miniature • 125 ml (½ tasse) de jus de pomme, dilué avec de l'eau	• 60 ml (¼ tasse) de Yogourt aux bananes et à l'avocat (p. 152) • 125 ml (½ tasse) de jus de pomme, dilué avec de l'eau
Repas du midi	• Sandwich au fromage sur pain de blé entier • 60 ml (¼ tasse) de « Smoothie » aux bananes et aux oranges • 125 ml (½ tasse) de lait entier homogénéisé	• 60 ml (¼ tasse) de Guacamole pour débutants (p. 87) • Quartiers de pita • Fromage, en dés • 125 ml (½ tasse) de lait entier homogénéisé	• 60 ml (¼ tasse) de Polenta aux abricots (p. 151) • Raisins, en tranches • 125 ml (½ tasse) de lait entier homogénéisé
Collation	• 60 ml (¼ tasse) de Fromage cottage aux fruits (p. 159) • Craquelins de blé entier • Eau	• 60 ml (¼ tasse) de Compote de pommes et ricotta (p. 148) • Biscuits pour bébé en forme d'animaux • Eau	• 60 ml (¼ tasse) de céréales d'avoine grillées sèches • Lait glacé aux fruits (p. 174) • Eau
Repas du soir	• 125 ml (½ tasse) de Poulet, riz brun et pois sucrés (p. 123) • Carotte cuite, en rondelles • 60 ml (¼ tasse) de Crumble aux abricots et aux bleuets (p. 182) • 125 ml (½ tasse) de lait entier homogénéisé	• 125 ml (½ tasse) de Poulet jambalaya (p. 128) • Brocoli cuit, haché • 125 ml (½ tasse) de lait entier homogénéisé	• 60 ml (¼ tasse) de poulet cuit, en cubes • 125 ml (½ tasse) de Fondant au brocoli et au chou-fleur (p. 188) • Poire mûre, en tranches • 125 ml (½ tasse) de lait entier homogénéisé
Collation	• ½ banane • 125 ml (½ tasse) de lait entier homogénéisé	• 60 ml (¼ tasse) de céréales d'avoine grillées sèches • 125 ml (½ tasse) de lait entier homogénéisé	• Biscuits pour bébé en forme d'animaux • 125 ml (½ tasse) de lait entier homogénéisé

« Smoothie » aux bananes et aux oranges

500 ml (2 tasses)

Les « smoothies » offrent une dose supplémentaire de vitamines et de nutriments. Ça aidera bébé à passer au travers d'une grosse journée !

Conseil :

Dans la mesure du possible, utilisez une orange entière fraîche en prenant soin de retirer la pelure, les noyaux et la membrane blanche, ce qui aura pour effet de chasser l'amertume.

1 banane
210 g (1 tasse) d'oranges, pelées et coupées en tranches (environ 1)

- Mettre les fruits dans un mélangeur et réduire en purée onctueuse à vitesse rapide.

INFORMATION NUTRITIONNELLE
Par portion de 60 ml (¼ tasse)

Calories	101 Kcal
Glucides (hydrates de carbone)	26 g
Fibres	3 g
Matière grasse	0 g
Protéines	1 g
Fer	0 mg

Lait chocolaté aux bananes et au beurre d'arachide

2 portions

Quand le temps nous manque, voici la formule rapide et parfaite qui plaira à toute la famille !

Variante :
On peut remplacer le lait de soja par du lait de vache entier homogénéisé.

1 banane
250 ml (1 tasse) de lait de soja au chocolat
75 g (½ tasse) de glace concassée
60 g (¼ tasse) de beurre d'arachide

- Mettre tous les ingrédients dans un mélangeur et réduire en purée onctueuse à vitesse rapide.

INFORMATION NUTRITIONNELLE
Par portion

Calories	350 Kcal
Glucides (hydrates de carbone)	33 g
Fibres	3 g
Matière grasse	21 g
Protéines	3 g
Fer	1 mg

Lait glacé aux fruits

2 portions

Pour un goûter nutritif et simple à préparer, mélanger des fruits de saison frais avec de la glace concassée et du lait.

Variante:
On peut remplacer le lait entier par du lait de riz ou de soja.

Réaliser la même recette sans ajouter de glace.

250 ml (1 tasse) de lait entier homogénéisé
75 g (½ tasse) de glace concassée
65 g (½ tasse) de poires, pelées et hachées
30 g (¼ tasse) de baies congelées

- Mettre tous les ingrédients dans un mélangeur et réduire en purée à vitesse rapide jusqu'à consistance d'une barbotine.

INFORMATION NUTRITIONNELLE
Par portion

Calories	111 Kcal
Glucides (hydrates de carbone)	15 g
Fibres	2 g
Matière grasse	4 g
Protéines	4 g
Fer	0 mg

Sorbet aux pêches

1 portion

Votre congélateur est rempli de purée de fruit? Maintenant que le petit grandit, voici une très bonne idée à base de purée.

Variante:
On peut remplacer la purée de pêche par toutes autres purées et le jus de pomme par celui de votre choix.

80 g (½ tasse) de purée de pêche congelée
125 ml (½ tasse) de jus de pomme non additionné de sucre

- Mettre tous les ingrédients dans un mélangeur et réduire en purée onctueuse à vitesse rapide. Servir immédiatement.

INFORMATION NUTRITIONNELLE
Par demi-portion

Calories	131 Kcal
Glucides (hydrates de carbone)	33 g
Fibres	3 g
Matière grasse	0 g
Protéines	1 g
Fer	1 mg

Grains mélangés

Cette recette peut être mélangée à la préparation lactée pour nourrisson ou à une purée de fruits ou de légumes ; on rehaussera ainsi la quantité de fibre.

Essayez avec le Crumble aux abricots et aux bleuets (p. 182) ou le Yogourt aux nectarines et aux bleuets (p. 183).

Conseil :
Cette recette convient à des enfants de 9 mois et plus. L'enfant ne doit avoir aucune intolérance aux amandes.

90 g (1 tasse) de flocons d'avoine à l'ancienne
20 g (¼ tasse) de céréales de son
30 g (¼ tasse) d'amande (facultatif)
2 c. à soupe de germe de blé

- Préchauffer le four à 180 °C (350 °F).
- Saupoudrer tous les ingrédients sur une plaque à pâtisserie. Faire dorer légèrement au four environ 7 min. Laisser refroidir.
- Mettre le mélange de grains dans un mélangeur et réduire en purée lisse à vitesse rapide.
- *Faire d'avance :* Conserver dans un contenant hermétique dans un endroit frais pour 1 mois.

INFORMATION NUTRITIONNELLE
Par portion de 60 ml (¼ tasse)

Calories	158 Kcal
Glucides (hydrates de carbone)	22 g
Fibres	6 g
Matière grasse	6 g
Protéines	6 g
Fer	2 mg

Gaufres aux noix

12 portions

Si vous n'avez pas de gaufrier, vous pouvez utiliser ce mélange pour faire des crêpes. Couvrir ensuite de tranches de bananes et de baies.

Conseil :

Pour plus de saveur, faire griller légèrement les noix environ 3 min dans une poêle à sec. Ne pas les brûler : elles deviendraient amères.

3 œufs
375 ml (1 ½ tasse) de lait entier homogénéisé
60 ml (¼ tasse) de beurre fondu
225 g (1 ½ tasse) de farine tout usage
50 g (½ tasse) de pacanes grillées moulues ou de noix
1 c. à soupe de levure chimique (poudre à pâte)
1 c. à soupe de sucre granulé
½ c. à café (½ c. à thé) de sel

- Préchauffer et huiler un gaufrier.
- Mettre les œufs, le lait et le beurre dans un mélangeur et réduire en purée onctueuse. Ajouter en saupoudrant la farine, les pacanes, la levure chimique, le sucre et le sel. Pulser à basse vitesse pour combiner le tout jusqu'à consistance grumeleuse. Ne pas trop mélanger, sinon la pâte sera trop dure.
- À l'aide d'une cuiller, mettre 125 ml (½ tasse) de mélange dans le gaufrier et étendre à l'aide d'une spatule. Refermer le couvercle et cuire de 5 à 7 min, jusqu'à ce que la gaufre soit bien dorée. Réserver dans une assiette au chaud. Répéter la même opération jusqu'à épuisement de la préparation.
- *Faire d'avance :* Conserver les gaufres dans un contenant hermétique en prenant soin de mettre un papier ciré ou sulfurisé entre chacune. Mettre au réfrigérateur pour un jour ou congeler pour 3 mois. Au service, mettre les gaufres congelées dans un grille-pain et faire griller quelques minutes jusqu'à ce qu'elles soient bien chaudes.

INFORMATION NUTRITIONNELLE
Par portion

Calories	160 Kcal
Glucides (hydrates de carbone)	16 g
Fibres	1 g
Matière grasse	9 g
Protéines	4 g
Fer	1 mg

Crêpes multigrains

16 portions

Mélangez d'avance les ingrédients secs et conservez-les dans un contenant hermétique pendant 1 mois. Ainsi, vous sauverez du temps.

Conseil:
Pour une crêpe encore plus nutritive, ajouter au mélange 60 ml (¼ tasse) de sirop d'érable et 60 ml (¼ tasse) de purée de fruits de votre choix.

3 œufs
375 ml (1 ½ tasse) de lait entier homogénéisé
60 g (¼ tasse) de beurre fondu
60 ml (¼ tasse) de miel liquide
150 g (1 tasse) de farine de blé entier
75 g (½ tasse) de farine tout usage
45 g (½ tasse) de flocons d'avoine à l'ancienne
25 g (¼ tasse) de semoule de maïs
50 g (¼ tasse) de cassonade, très tassée
2 c. à café (2 c. à thé) de levure chimique (poudre à pâte)
1 c. à café (1 c. à thé) de sel
½ c. à café (½ c. à thé) de bicarbonate de soude
½ c. à café (½ c. à thé) de cannelle moulue
Environ 2 c. à café (2 c. à thé) de beurre

- Mettre les œufs, le lait, le beurre fondu, le miel dans un mélangeur et réduire en purée lisse. Ajouter en saupoudrant les farines, les flocons d'avoine, la semoule de maïs, la cassonade, la levure chimique, le sel, le bicarbonate et la cannelle. Pulser à basse vitesse jusqu'à consistance grumeleuse. Éviter de trop mélanger, car la pâte deviendrait dure.

- Dans une poêle, faire fondre le beurre à feu moyen. Verser 60 ml (¼ tasse) du mélange en prenant soin qu'il tapisse le fond de la poêle. Cuire jusqu'à l'apparition de bulles, retourner la crêpe et poursuivre la cuisson environ 1 min, jusqu'à ce qu'elle soit dorée. Retirer de la poêle, mettre la crêpe dans une assiette et conserver au chaud. Répéter l'opération jusqu'à épuisement du mélange. Ajouter du beurre au besoin.
- *Faire d'avance:* Conserver les crêpes cuites dans un contenant hermétique en prenant soin de mettre un papier ciré ou sulfurisé entre chacune d'elles. Mettre au réfrigérateur 1 jour ou au congélateur 3 mois. Au moment de servir, chauffer les crêpes jusqu'à ce qu'elles soient très chaudes.

INFORMATION NUTRITIONNELLE **Par portion**	
Calories	138 Kcal
Glucides (hydrates de carbone)	20 g
Fibres	1 g
Matière grasse	5 g
Protéines	4 g
Fer	1 mg

Crêpe de maïs au babeurre

8 portions

On peut utiliser ces crêpes pour tremper dans une soupe ou un chili, ou encore on peut les badigeonner de confiture et en faire un sandwich.

Variante :
Ajouter 180 g (1 tasse) de maïs en grains au mélange.

Pour des petites portions à emporter, cuire des crêpes miniatures, c'est-à-dire 1 c. à soupe du mélange par portion.

Faire d'avance :
Conserver les crêpes cuites dans un contenant hermétique en prenant soin de mettre un papier ciré ou sulfurisé entre chacune d'elles. Mettre au réfrigérateur 1 jour ou au congélateur 3 mois. Au moment de servir, disposer les crêpes en une seule couche sur une plaque à pâtisserie recouverte de papier sulfurisé et cuire au four environ 15 min à 100 °C (200 °F), jusqu'à ce qu'elles soient très chaudes.

1 jaune d'œuf
175 ml (¾ tasse) de babeurre
1 c. à soupe de beurre fondu
50 g (½ tasse) de semoule de maïs
40 g (¼ tasse) de farine tout usage
1 c. à café (1 c. à thé) de sucre granulé
½ c. à café (½ c. à thé) de bicarbonate de soude
¼ c. à café (¼ c. à thé) de sel
Environ 2 c. à café (2 c. à thé) d'huile végétale

- Mettre les jaunes d'œufs, le babeurre et le beurre dans un mélangeur et réduire en purée lisse à vitesse rapide. Saupoudrer la semoule de maïs, la farine, le sucre, le bicarbonate, le sel et pulser à basse vitesse jusqu'à consistance grumeleuse. Éviter de trop mélanger, car la pâte deviendrait dure.
- Dans une poêle, chauffer 1 c. à café (1 c. à thé) d'huile à feu moyen. Verser 60 ml (¼ tasse) du mélange en prenant soin qu'il tapisse le fond de la poêle. Cuire de chaque côté, jusqu'à l'apparition de bulles, retourner la crêpe et poursuivre la cuisson jusqu'à ce qu'elle soit dorée, environ 3 min par côté. Retirer de la poêle, mettre la crêpe dans une assiette et conserver au chaud. Répéter l'opération jusqu'à épuisement du mélange. Ajouter de l'huile au besoin.

INFORMATION NUTRITIONNELLE
Par portion

Calories	44 Kcal
Glucides (hydrates de carbone)	6 g
Fibres	0 g
Matière grasse	2 g
Protéines	1 g
Fer	une trace

Pain doré surprise

Voici une bonne façon de commencer la journée. Le pain doré en lanières devient une excellente collation à emporter.

1 œuf
2 c. à soupe de lait entier homogénéisé
½ c. à café (½ c. à thé) de vanille
½ c. à café (½ c. à thé) de zeste d'orange râpé
¼ c. à café (¼ c. à thé) de cannelle moulue
2 c. à café (2 c. à thé) de beurre
1 tranche de pain de blé entier, coupée en lanières de 2,5 cm (1 po)
Trempette au yogourt et aux fruits (voir p. 184)

- Mettre l'œuf, le lait, la vanille, le zeste d'orange, la cannelle dans un mélangeur et réduire en purée lisse à vitesse rapide. Mettre la préparation dans un bol peu profond ou un moule à tarte.
- Dans une poêle, faire fondre le beurre à feu moyen. Tremper généreusement les lanières de pain dans la préparation. Disposer les lanières en une seule couche dans la poêle et faire dorer environ 3 min de chaque côté. Servir chaud accompagné de Trempette au yogourt et aux fruits.

INFORMATION NUTRITIONNELLE
Par portion

Calories	199 Kcal
Glucides (hydrates de carbone)	17 g
Fibres	2 g
Matière grasse	11 g
Protéines	9 g
Fer	2 mg

Crumble aux abricots et aux bleuets

500 ml (2 tasses)

Voici une formule dynamisante quand les fruits sont combinés aux grains mélangés.

240 g (1 ½ tasse) d'abricots, dénoyautés et coupés en tranches
60 g (½ tasse) de bleuets sauvages congelés, décongelés
60 ml (¼ tasse) de jus d'orange
50 g (½ tasse) de Grains mélangés (voir p. 176)

Conseil:
On peut remplacer les abricots frais par des abricots séchés. Si on utilise les abricots séchés, il est recommandé de les faire tremper 30 min dans un peu d'eau bouillante pour les faire ramollir.

On peut servir le Crumble aux abricots et aux bleuets avec une cuillerée de yogourt nature disposée sur le dessus.

- Mettre les abricots, les bleuets, le jus d'orange dans un mélangeur et réduire en purée onctueuse à vitesse rapide.
- Saupoudrer les grains mélangés. Pour plus de tendreté, laisser reposer 5 min avant de servir.

INFORMATION NUTRITIONNELLE
Par portion de 60 ml (¼ tasse)

Calories	59 Kcal
Glucides (hydrates de carbone)	9 g
Fibres	2 g
Matière grasse	2 g
Protéines	2 g
Fer	0 mg

Yogourt aux nectarines et aux bleuets

500 ml (2 tasses)

Le mélange céréales, fruits, yogourt ou fromage cottage est une combinaison gagnante et donnera à vos enfants les nutriments nécessaires pour passer à travers une journée chargée d'activités.

Conseil:
Pour une consistance plus liquide, ajouter un peu de lait à la préparation.

210 g (1 tasse) de nectarines, en tranches (environ 2)
30 g (¼ tasse) de bleuets frais ou congelés, décongelés
250 g (1 tasse) de yogourt nature
100 g (1 tasse) de Grains mélangés (voir p. 176)

- Mettre les nectarines, les bleuets dans un mélangeur et réduire en purée onctueuse à vitesse rapide.
- Mettre la préparation dans un bol moyen et ajouter le yogourt.
- Pour chaque portion de 60 ml (¼ tasse) de préparation au yogourt, ajouter 2 c. à soupe de Grains mélangés. Laisser reposer 5 min avant de servir.

INFORMATION NUTRITIONNELLE
Par portion de 60 ml (¼ tasse)

Calories	136 Kcal
Glucides (hydrates de carbone)	18 g
Fibres	4 g
Matière grasse	5 g
Protéines	5 g
Fer	0 mg

Trempettes au yogourt et au fromage à la crème

375 ml (1 ½ tasse)

Voici des petits à-côtés nourrissants et faciles à préparer qui plairont aux enfants.

Base pour trempette au yogourt

125 g (½ tasse) de yogourt entier nature
1 c. à soupe de miel liquide

- Dans un mélangeur, à basse vitesse, mélanger le yogourt et le miel jusqu'à consistance onctueuse.
- Mélanger cette préparation aux combinaisons de fruits proposées dans les pages qui viennent.
- *Faire d'avance :* Conserver la préparation dans un contenant hermétique 3 jours au réfrigérateur.

INFORMATION NUTRITIONNELLE Par demi-recette	
Calories . . . . 70 Kcal	Matière grasse . . . . 2 g
Glucides (hydrates de carbone) . 11 g	Protéines . . . . 2 g
Fibres . . . . 0 g	Fer . . . . 0 mg

Base pour trempette au fromage à la crème

120 g (4 oz) de fromage à la crème à tartiner → 60gr
60 ml (¼ tasse) de lait entier homogénéisé → 30ml

- Dans un mélangeur, à basse vitesse, mélanger le fromage à la crème et le lait jusqu'à consistance onctueuse.
- Mélanger cette préparation aux combinaisons de fruits proposées dans les pages qui viennent.
- *Faire d'avance :* Conserver la préparation dans un contenant hermétique 3 jours au réfrigérateur.

INFORMATION NUTRITIONNELLE Par demi-recette	
Calories . . . . 217 Kcal	Matière grasse . . . . 21 g
Glucides (hydrates de carbone) . . 3 g	Protéines . . . . 5 g
Fibres . . . . 0 g	Fer . . . . 1 mg

Trempettes au yogourt et au fromage à la crème (suite)

Trempette aux bananes et à la mangue

1 petite banane, hachée
80 g (½ tasse) de mangue, pelée et hachée

INFORMATION NUTRITIONNELLE Par demi-recette	
Calories . . . . 81 Kcal	Matière grasse . . . . 0 g
Glucides (hydrates de carbone) . 21 g	Protéines . . . . 1 g
Fibres . . . . 2 g	Fer . . . . 0 mg

Trempette aux pommes et aux abricots

60 g (½ tasse) de pommes, pelées et hachées
85 g (½ tasse) d'abricots, pelés et hachés
¼ c. à café (¼ c. à thé) de cannelle moulue

INFORMATION NUTRITIONNELLE Par demi-recette	
Calories . . . . 36 Kcal	Matière grasse . . . . 0 g
Glucides (hydrates de carbone) . . 9 g	Protéines . . . . 1 g
Fibres . . . . 2 g	Fer . . . . 0 mg

Trempette aux pêches et aux oranges

80 g (½ tasse) de pêches, pelées et hachées
105 g (½ tasse) d'oranges en quartiers, dénoyautées et sans les filaments blancs

INFORMATION NUTRITIONNELLE Par demi-recette	
Calories . . . . 39 Kcal	Matière grasse . . . . 0 g
Glucides (hydrates de carbone) . 10 g	Protéines . . . . 1 g
Fibres . . . . 2 g	Fer . . . . 0 mg

Suite en page suivante ⇨

Trempettes au yogourt
et au fromage à la crème (suite)

375 ml (1 ½ tasse)

Trempette aux tangerines et aux kiwis

105 g (½ tasse) de tangerines en quartiers
80 g (½ tasse) de kiwis, pelés et hachés

INFORMATION NUTRITIONNELLE Par demi-recette	
Calories . . . . 48 Kcal	Matière grasse . . . . 0 g
Glucides (hydrates de carbone) . 12 g	Protéines . . . . 1 g
Fibres . . . . 3 g	Fer . . . . 0 mg

Trempette aux fraises et au citron

200 g (1 tasse) de fraises, en tranches
1 c. à café (1 c. à thé) de zeste de citron, râpé
2 c. à café (2 c. à thé) de jus de citron frais pressé

INFORMATION NUTRITIONNELLE Par demi-recette	
Calories . . . . 27 Kcal	Matière grasse . . . . 0 g
Glucides (hydrates de carbone) . . 6 g	Protéines . . . . 1 g
Fibres . . . . 2 g	Fer . . . . 0 mg

Trempette aux poires et au gingembre

130 g (1 tasse) de poires, pelées et hachées
½ c. à café (½ c. à thé) de gingembre moulu

INFORMATION NUTRITIONNELLE Par demi-recette	
Calories . . . . 51 Kcal	Matière grasse . . . . 0 g
Glucides (hydrates de carbone) . 13 g	Protéines . . . . 0 g
Fibres . . . . 2 g	Fer . . . . 0 mg

Poires et petits fruits

500 ml (2 tasses)

Les framboises et les bleuets sont remplis de nutriments. Il est recommandé de ne pas les servir seuls, mais plutôt accompagnés d'autres fruits.

Conseil:
Cette recette convient au bébé de 6 mois s'il n'est pas allergique au miel.

Pour les enfants plus grands:
Pour sortir de l'ordinaire, ajouter aux flocons d'avoine cette délicieuse purée et saupoudrer le tout d'amandes grillées.

390 g (3 tasses) de poires, pelées et coupées en dés (environ 4)
125 ml (½ tasse) d'eau
30 g (¼ tasse) de framboises
30 g (¼ tasse) de bleuets
1 c. à soupe de miel liquide (facultatif)

- Mettre tous les ingrédients dans une casserole moyenne à feu moyen-doux. Couvrir et laisser cuire doucement environ 30 min en remuant de temps en temps, jusqu'à ce que les poires soient tendres. Laisser refroidir.
- Mettre la préparation dans un mélangeur et réduire en purée onctueuse à vitesse rapide. Ajouter de l'eau au besoin.

INFORMATION NUTRITIONNELLE
Par portion de 60 ml (¼ tasse)

Calories	44 Kcal
Glucides (hydrates de carbone).	11 g
Fibres.	2 g
Matière grasse	0 g
Protéines	0 g
Fer	0 mg

Fondant au brocoli et au chou-fleur

500 ml (2 tasses)

Ajouter furtivement des fibres en saupoudrant les légumes de germe de blé.

Conseil:

Pour faire ressortir la saveur des grains et des noix, il est conseillé de les faire griller. Préchauffer le four à 180 °C (350 °F). Mettre les grains ou les noix en une seule couche sur une plaque à pâtisserie et faire dorer légèrement environ 5 min. Laisser refroidir avant l'utilisation.

180 g (1 tasse) de bouquets et de tiges de brocoli, pelées
100 g (1 tasse) de bouquets de chou-fleur
250 ml (1 tasse) de lait entier homogénéisé
2 c. à soupe de flocons d'avoine grillés à l'ancienne
1 c. à soupe de germe de blé
70 g (½ tasse) de cheddar, râpé

- Mettre tous les ingrédients sauf le fromage dans une casserole moyenne et porter à ébullition à feu moyen-élevé. Couvrir, réduire la chaleur et laisser mijoter environ 20 min, jusqu'à ce que les légumes soient tendres. Ajouter le fromage et laisser refroidir.
- Mettre la préparation dans un mélangeur et réduire en purée onctueuse à vitesse rapide.

INFORMATION NUTRITIONNELLE
Par portion de 60 ml (¼ tasse)

Calories	61 Kcal
Glucides (hydrates de carbone)	4 g
Fibres	1 g
Matière grasse	4 g
Protéines	4 g
Fer	0 mg

Jambon, haricots blancs et chou

500 ml (2 tasses)

Les haricots secs constituent une excellente source de potassium et d'acide folique. Ils ajouteront aux purées une texture très crémeuse.

Conseil:
Faire tremper dans un bol rempli d'eau froide les haricots secs et les légumes toute une nuit. Cette méthode diminuera le temps de cuisson, conservera plus de nutriments et réduira les flatulences.

Méthode rapide de trempage:
Mettre 3 parts d'eau pour une part de haricots secs dans une casserole. Porter à ébullition à feu moyen. Retirer du feu et laisser reposer à couvert 1 à 2 h. Égoutter et cuire comme indiqué dans la recette.

Ajouter du bouillon de légumes ou un peu plus de bouillon de poulet à la préparation pour obtenir une excellente soupe pour toute la famille.

2 c. à café (2 c. à thé) d'huile d'olive
50 g (½ tasse) d'oignons, en tranches
120 g (4 oz) de jambon cuit, en dés
500 ml (2 tasses) de bouillon de poulet faible en sodium
110 g (½ tasse) de haricots blancs secs, trempés et égouttés (voir Conseil)
180 g (1 tasse) de chou vert, haché

- Dans une casserole moyenne, chauffer l'huile à feu moyen-élevé. Ajouter les oignons et cuire environ 5 min en remuant, jusqu'à ce qu'ils soient tendres. Ajouter le jambon et faire dorer légèrement en remuant environ 3 min. Verser le bouillon et gratter le fond de la casserole pour décoller les petits morceaux de jambon. Ajouter les haricots, couvrir, réduire la chaleur et laisser cuire doucement environ 30 min. Ajouter le chou et poursuivre la cuisson environ 30 min, jusqu'à ce que le tout soit tendre. Laisser refroidir.
- Mettre la préparation dans un mélangeur et réduire en purée onctueuse à vitesse rapide.

INFORMATION NUTRITIONNELLE
Par portion de 125 ml (½ tasse)

Calories	173 Kcal
Glucides (hydrates de carbone)	20 g
Fibres	5 g
Matière grasse	2 g
Protéines	15 g
Fer	3 mg

Sauce rouge aux légumes

500 ml (2 tasses)

Parfois les petits repoussent le bol de légumes, mais une sauce surprise pourrait les faire changer d'idée!

Conseil:
On peut servir cette sauce sur des pâtes.

1 c. à soupe d'huile d'olive
1 gousse d'ail, émincée
100 g (1 tasse) de carottes, pelées et hachées (environ 2)
90 g (½ tasse) de tiges de brocoli, pelées et hachées
25 g (¼ tasse) d'oignons, hachés
280 g (1 tasse) de tomates en dés en conserve avec leur jus

- Dans une poêle, chauffer l'huile à feu moyen-élevé. Ajouter l'ail, les carottes, le brocoli, les oignons et bien mélanger. Cuire environ 7 min en remuant, jusqu'à ce que les carottes soient tendres. Ajouter les tomates et leur jus, réduire la chaleur et laisser mijoter doucement environ 15 min jusqu'à ce que tous les légumes soient très tendres. Laisse refroidir.
- Mettre la préparation dans un mélangeur et réduire en purée onctueuse à vitesse rapide.

INFORMATION NUTRITIONNELLE
Par portion de 60 ml (¼ tasse)

Calories	33 Kcal
Glucides (hydrates de carbone)	4 g
Fibres	1 g
Matière grasse	2 g
Protéines	1 g
Fer	0 mg

Sauce crémeuse
aux légumes

500 ml (2 tasses)

On peut servir cette sauce sur des pastinis ou encore sur une purée de viande.

1 c. à soupe d'huile d'olive
100 g (1 tasse) de carottes, pelées et coupées en dés (environ 2)
90 g (½ tasse) de tiges de brocoli, pelées et coupées en dés
25 g (¼ tasse) d'oignons, en dés
1 gousse d'ail, émincée
2 c. à soupe de fromage à la crème à tartiner, en cubes
250 ml (1 tasse) de bouillon de poulet faible en sodium

- Dans une poêle, chauffer l'huile à feu moyen-élevé. Ajouter les carottes, le brocoli, les oignons et l'ail. Cuire en remuant souvent environ 5 min, jusqu'à ce que les carottes soient tendres. Ajouter le fromage à la crème, le bouillon, mélanger à l'aide d'un fouet et porter à ébullition. Réduire la chaleur et laisser mijoter doucement à découvert environ 10 min, jusqu'à ce que tous les légumes soient très tendres. Laisser refroidir.
- Mettre la préparation dans un mélangeur et réduire en purée onctueuse à vitesse rapide.

INFORMATION NUTRITIONNELLE
Par portion de 60 ml (¼ tasse)

Calories	33 Kcal
Glucides (hydrates de carbone)	4 g
Fibres	1 g
Matière grasse	2 g
Protéines	1 g
Fer	0 mg

Index

Table des matières

LES ÉDITIONS DE L'HOMME

La pensée qui soigne, Monique Brillion
La personne en écho, Jean-Charles Crombez
La psychogénéalogie, Doris Langlois et Lise Langlois
La puissance de la pensée positive, Norman Vincent Peale
La puissance des émotions, Michelle Larivey
La peur d'aimer, Steven Carter et Julia Sokol
La puissance de votre subconscient, Dr Joseph Murphy
La synergologie, Philippe Turchet
La vérité sur le mensonge, Marie-France Cyr
Leader efficaces – Communication et performance en équilibre, Thomas Gordon
Le bonheur si je veux, Florence Rollot
Le cœur apprenti, Guy Finley
Le déclic – Transformer la douleur qui détruit en douleur qui guérit, Marie Lise Labonté
Le défi de l'amour, John Bradshaw
Le défi des relations – Le transfert des émotions, Michelle Larivey
Le grand méchant stress, Florence Rollot
Le grand ménage amoureux, Robert Brisebois
Le jeu excessif, Robert Ladouceur, Caroline Sylvain, Claude Boutin et Céline Doucet
Le joueur et perte de contrôleé, Claude Boutin et Robert Ladouceur
Le juste équilibre – Temps, famille, travail, argent, A. Roger Merrill et Rebecca R. Merrill
Le langage du corps, Julius Fast
Le pouvoir d'Aladin, Jack Canfield et Mark Victor Hansen
Le pouvoir créateur de la colère, Harriet G. Lerner
Le pouvoir de la couleur, Faber Birren
Le pouvoir de l'empathie, A.P. Ciaramicoli et C. Ketcham
Le pouvoir de la résilience, Robert Brooks et Sam Goldstein
Le Soi aux mille visages, Pierre Cauvin et Geneviève Cailloux
Le temps d'apprendre à vivre, Lucien Auger
Les barrages inutiles, Dr Daniel Dufour
Les clés pour lâcher prise, Guy Finley
Les codes inconscients de la séduction, Philippe Turchet
Les hasards nécessaires – La synchronicité dans les rencontres qui nous transforment, Jean-François Vézina
Les manipulateurs et l'amour, Isabelle Nazare-Aga
Les manipulateurs sont parmi nous, Isabelle Nazare-Aga
Les mères aussi aiment ça, Dr Valerie Davis Ruskin
Les mots qui font du bien, Nance Guilmartin
Les rêves, messagers de la nuit, Nicole Gratton
Les rêves portent conseil, Laurent Lachance
Les tremblements intérieurs, Dr Daniel Dufour
Mais qu'est-ce qui passe par la tête des méchants?, Michel Fize
Mettez de l'action dans votre couple, Albertine et Christophe Maurice
Mon journal de rêves, Nicole Gratton
Nous sommes toutes des déesses, Sophie d'Oriona
Où sont les hommes? – La masculinité en crise, Anthony Clare
Parle-moi… j'ai des choses à te dire, Jacques Salomé
Pensées pour lâcher prise, Guy Finley
Pensez comme Léonard De Vinci, Michael J. Gelb
Père manquant, fils manqué, Guy Corneau
Petit traité antidéprime – 4 saisons dans le bonheur, Nicolas Sarrasin
Ping, Stuart Avery Gold
Pourquoi les hommes marchent-ils à la gauche des femmes?, Philippe Turchet
Pourquoi les hommes ne font plus la cour?, Odile Lamourère
Quand le corps dit non – Le stress qui démolit, Dr Gabor Maté
Quand les femmes aimeront les hommes, Odile Lamourère
Qu'attendez-vous pour être heureux, Suzanne Falter-Barns
Qui suis-je?, Nicolas Sarrasin
Réfléchissez et devenez riche, Napoleon Hill
Relations efficaces, Thomas Gordon
Retrouver l'enfant en soi, John Bradshaw
Rêves, signes et coïncidences, Laurent Lachance
Rompre sans tout casser, Linda Bérubé
S'affirmer et communiquer, Jean-Marie Boisvert et Madeleine Beaudry
S'affranchir de la honte, John Bradshaw
S'aider soi-même davantage, Lucien Auger
Savoir relaxer pour combattre le stress, Dr Edmund Jacobson
Séduire à coup sûr, Leil Lowndes
Se réaliser dans un monde d'images – À la recherche de son originalité, Jean-François Vézina
Si je m'écoutais je m'entendrais, Jacques Salomé et Sylvie Galland

Une année pour lâcher prise, Guy Finley
Une vie à se dire, Jacques Salomé
Un Paon au pays des pingouins, Barbara «BJ» Hatley et Warren H. Schmidt
Vaincre l'ennemi en soi, Guy Finley
Victime au travail – l'enfer du harcèlement psychologique, Nicole Binette
Vivre et lâcher prise, Guy Finley
Victime des autres, bourreau de soi-même, Guy Corneau
Vivre avec les autres – Chaque jour…la vie, Jacques Salomé
Vivre avec les miens – Chaque jour…la vie, Jacques Salomé
Vivre avec soi – Chaque jour… la vie, Jacques Salomé
Vouloir c'est pouvoir, Raymond Hull

Sexualité

36 jeux drôles pour pimenter votre vie amoureuse, Albertine et Christophe Maurice
1001 stratégies amoureuses, Marie Papillon
Full sexuel – La vie amoureuse des adolescents, Jocelyne Robert
L'amour au défi, Natalie Suzanne
L'histoire merveilleuse de la naissance, Jocelyne Robert
La plénitude sexuelle, Michael Riskin et Anita Banker-Riskin
La sexualité pour le plaisir et pour l'amour, D. Schmid et M.-J. Mattheeuws
Le langage secret des filles, Josey Vogels
Le sexe en mal d'amour, Jocelyne Robert
Ma sexualité de 0 à 6 ans, Jocelyne Robert et Jo-Anne Jacob
Ma sexualité de 6 à 9 ans, Jocelyne Robert
Ma sexualité de 9 à 11 ans, Jocelyne Robert
Parlez-leur d'amour et de sexualité, Jocelyne Robert
Te laisse pas faire! Jocelyne Robert

Pédagogie et vie familiale

Attention, parents!, Carol Soret Cope
Bouger avec bébé, Diane Daigneault
Comment aider mon enfant à ne pas décrocher, Lucien Auger
Fêtes d'enfants de 1 à 12 ans, France Grenier
L'enfance du bonheur – Aider les enfants à intégrer la joie dans leur vie, Edward M. Hallowell
Le grand livre de notre enfant, Dorothy Einon
Le juste équilibre, A. Roger Merrill et Rebecca R. Merrill
Les douze premiers mois de mon enfant, Frank Caplan
Mon enfant joue et apprend de 3 à 6 ans, Penny Warner
Petits mais futés, Marcèle Lamarche et Jean-François Beauchemin
Préparez votre enfant à l'école dès l'âge de 2 ans, Louise Doyon

Collection « Parents aujourd'hui »

Avec mon enfant, je positive!, Brigitte Pujos
Ces enfants que l'on veut parfaits, Dr Elisabeth Guthrie et Kathy Mattews
Ces enfants qui remettent tout à demain, Rita Emmett
Comment développer l'estime de soi de votre enfant, Carl Pickhardt
Éduquer sans punir, Dr Thomas Gordon
Enfant automate ou enfant autonome, Diane Daniel
Interprétez les rêves de votre enfant, Laurent Lachance
L'enfant dictateur, Fred G. Gosman
L'enfant en colère, Tim Murphy
L'enfant impulsif, Dr Guy Falardeau
L'enfant qui dit non, Jerry Wyckoff et Barbara C. Unell
L'enfant souffre-douleur, Maria-G. Rincón-Robichaud
L'enfant sous pression, Donna G. Corwin
Mon ado me rend fou!, Michael J. Bradley
Parent responsable, enfant équilibré, François Dumesnil
Questions de parents responsables, François Dumesnil
Retrouver son rôle de parent, Gordon Neufreld et Dr Gabor Maté
Se faire obéir des enfants sans frapper ni crier, Jerry Wyckoff et Barbara C. Unell

Spiritualité

Le feu au cœur, Raphael Cushnir
Le miracle de votre esprit, Dr Joseph Murphy
Prier pour lâcher prise, Guy Finley
Un autre corps pour mon âme, Michael Newton

Astrologie, ésotérisme et arts divinatoires

Astrologie 2006, Andrée D'Amour
Astrologie 2007, Andrée D'Amour
Bien lire dans les lignes de la main, S. Fenton et M. Wright
Comment voir et interpréter l'aura, Ted Andrews
Horoscope chinois 2006, Neil Somerville
Horoscope chinois 2007, Neil Somerville
Interprétez vos rêves, Louis Stanké
L'Ennéagramme au travail et en amour, Helen Palmer
Les lignes de la main, Louis Stanké
Les secrets des 12 signes du zodiaque, Andrée D'Amour
Votre avenir par les cartes, Louis Stanké
Votre destinée dans les lignes de la main, Michel Morin

Collection « Alter ego »

Communication efficace – Pour des relations sans perdant, Linda Adam's
Communication et épanouissement personnel, Lucien Auger
Dynamique des groupes, Jean-Marie Aubry
Focusing, Eugene T. Gendlin
J'aime – Comment garder l'amour longtemps, Yves St-Arnaud
La personne humaine – Développement personnel et relations interpersonnelles, Yves St-Arnaud
Les secrets de la communication, Richard Bandler et John Grinder
Petit code de la communication, Yves St-Arnaud
S'aider soi-même – Une psychologie par la raison, Lucien Auger
Vaincre ses peurs, Lucien Auger

VIVRE EN BONNE SANTÉ

Soins et médecine

Arbres et arbustes thérapeutiques, Anny Schneider
Autopsie d'une catastrophe médicale – l'exemple du Vioxx, Dr Christian Fortin et Jacques Beaulieu
Cures miracles – Herbes, vitamines et autres remèdes naturels, Jean Carper
Dites-moi, docteur..., Dr Raymond Thibodeau
L'esprit dispersé, Dr Gabor Maté
La pharmacie verte, Anny Schneider
Le Guide de la santé – Se soigner à domicile, Clinique Mayo
Maux de tête et migraines, Dr Jacques P. Meloche et J. Dorion
Médecine naturelle amérindienne, Poter Shimer
Plantes sauvages médicinales, Anny Schneider et Ulysse Charette

Alimentation

Bien manger sans gluten, Bette Hagman
Bonne table et bon cœur, Anne Lindsay
Bonne table, bon sens, Anne Lindsay
Comment nourrir son enfant, Louise Lambert-Lagacé
Devenir végétarien, V. Melina, V. Harrison et B. C. Davis
Du nouveau dans la boîte à lunch, Josée Thibodeau
L'alimentation durant la grossesse, Hélène Laurendeau et Brigitte Coutu
L'alimentation intuitive, Edward Abramson
La grande cuisine de tous les jours, Weight Watchers
La sage bouffe de 2 à 6 ans, Louise Lambert-Lagacé
La santé au menu, Karen Graham
Le juste milieu dans votre assiette, Dr B. Sears et B. Lawren
Le lait de chèvre un choix santé, Collectif

Le régime anti-inflamatoire, Dr Barry Sears
Le régime Oméga, Dr Barry Sears
Le végétarisme à temps partiel, Louise Desaulniers et Louise Lambert-Lagacé
Les aliments et leurs vertus, Jean Carper
Les aliments miracles pour votre cerveau, Jean Carper
Les aliments qui guérissent, Jean Carper
Les desserts sans sucre, Jennifer Eloff
Les recettes du juste milieu dans votre assiette, Dr Barry Sears
Manger, boire et vivre en bonne santé, Walter C. Willett
Mangez mieux selon votre groupe sanguin, Karen Vago et Lucy Degrémont
Ménopause – Nutrition et santé, Louise Lambert-Lagacé
Nourrir son cerveau, Louise Thibault
Vaincre l'hypoglycémie, O. Bouchard et M. Thériault
Variez les couleurs dans votre assiette, James A. Joseph et Dr Daniel A. Nadeau

Bien-être

Au bout du rouleau ?, Debra Waterhouse
Bien vivre, mieux vieillir, Marie-Paule Dessaint
Bouger avec bébé, Diane Daigneault
Découvrez la méthode Pilates, Anna Selby et Alan Herdman
En 2 temps 3 mouvements, Thérèse Cadrin Petit et Lucie Dumoulin
La gymnastique faciale, Catherine Pez
La méthode Pilates pendant la grossesse, Michael King et Yolande Green
La réflexologie, Pauline Willis
La technique Alexander, Richard Brennan
Le body-rolling, Yamuna Zake et Stéphanie Golden
Le corps heureux, Thérèse Cadrin Petit et Lucie Dumoulin
Le flex-appeal, Kathy Smith
La marche, Dr William Bird et Veronica Reynolds
Le massage thaïlandais, Maria Mercati
Le plaisir de bouger, Nathalie Lambert
Le plan ayurveda, Anna Selby et Ian Hayward
Le plan détente – Formule antistress, Beth Maceoin
Le plan détox, Dr Christina Scott-Moncrieff
Le yoga – Maîtriser les postures de base, Sandra Anderson et Rolf Sovik
Les allergies, Dr Christina Scott-Moncrieff
Les bienfaits de l'eau – H$_2$O, Anna Selby
Mouvements d'éveil corporel, Marie Lise Labonté
Vaincre les ennemis du sommeil, Charles M. Morin
Yogito – Un yoga pour l'enfant, M. Giammarinaro et D. Lamure

ART DE VIVRE

Tourisme et nature

Flocons de neige – La beauté secrète de l'hiver, Kenneth Libbrecht et Patricia Rasmussen

Cuisine et gastronomie

Apprêter et cuisiner le gibier, Collectif
Barbecue d'intérieur – Steven Raichlen
Biscuits et muffins – Une tradition de bon goût, Marg Ruttan
Coffret marinades et confitures, Y. Bouchard et F. Guilbaud
Cuisine amérindienne, Françoise Kayler et André Michel
Cuisine traditionnelle des régions du Québec, Institut de tourisme et d'hôtellerie du Québec
Des insectes à croquer – Guide de découvertes, Jean-louis Thémis et l'Insectarium de Montréal
Du nouveau dans la boîte à lunch, Josée Thibodeau
Fruits et légumes exotiques, Jean-Louis Thémis et l'I.T.H.Q.
Gibier à poil et à plume, Jean-Paul Grappe
Huiles et vinaigres, Jean-François Plante
La bonne cuisine des saisons, Frère Victor-Antoine d'Avila-Latourrette
La cuisine de la Nouvelle France, maître-coc du *Cabaret du Roy*
La cuisine du monastère, Frère Victor-Antoine d'Avila-Latourrette
La cuisine traditionnelle du Québec, Jean-Paul Grappe

Collection « tout un chef »

Laurent Godbout, chef chez l'Épicier, Laurent Godbout
Marie-Chantal Lepage, chef au Château bonne entente, Marie-Chantal Lepage
Patrice Demers, chef patissier aux restaurant Les chèvres et le chou, Patrice Demers
Richard Bastien, la cuisine bistrot du café Leméac, Richard Bastien

Vin, boissons et autres plaisirs

Harmonisez vins et mets – Le nouveau guide des accords parfaits, Jacques Orhon
Le bonheur est dans le vin, Albert Adam et Jean-Luc Jault
Le nouveau guide des vins de France, Jacques Orhon
Le nouveau guide des vins d'Italie, Jacques Orhon
Mieux connaître les vins du monde, Jacques Orhon
Voyageur du vin – Regard photographique sur les vignobles du monde, Michel Phaneuf

Horticulture

La bible du potager, Edward C. Smith
Le grand livre des vivaces, Albert Mondor
Le guide des fleurs parfaites, Albert Mondor
Les annuelles en pots et au jardin, Albert Mondor
Les belles de Métis, Alexander Reford et Louise Tanguay
Les bulbes, Pierre Gingras
Les graminées, Sandra Barone et Friedrich Oehmichen
Les hémérocalles, Réjean D. Millette
Les hostas, Réjean D. Millette
Les lilas, Rock Giguère et Frank Moro
Les pivoines, Rock Giguère
Les roses, Gaétan Deschênes et Louis Authier
Techniques de jardinage, Albert Mondor

VIVRE EN SOCIÉTÉ

Documents et essais

Tu n'es pas seule, Collectif

Communications et langue

Écrivez vos mémoires, Sylvie Liechtele et Robin. Deschênes

Collection « Le bon mot »

Guide du savoir-écrire – Pour les étudiants, les secrétaires, les professionnels, les commerçants. les techniciens, les internautes et toute la famille !, Jean-Paul Simard
Le bon mot – Déjouer les pièges du français, Jacques Laurin
Le plaisir des mots, Richard Arcand
Les américanismes – 1200 mots ou expressions made in USA, Jacques Laurin
Les figures de style, Richard Arcand
Ma grammaire, Roland Jacob et Jacques Laurin
Nos anglicismes, Jacques Laurin
Sur le bout de la langue, André Couture

Travail, affaires et entreprise

26 stratégies pour garder ses meilleurs employés, Beverly Kaye et Sharon Jordan-Evans
26 stratégies pour transformer son emploi en travail idéal, Beverly Kaye et Sharon Jordan-Evans
Bonne nouvelle, vous êtes engagé ! – Conseils et adresses utiles pour trouver un emploi, Bill Marchesin
EVEolution – Le pouvoir économique des femmes et les nouvelles stratégies de marketing, Faith Popcorn et Lys Marigold
J'ai mal à mon travail, Monique Soucy
La stratégie du dauphin – Les idées gagnantes du 21e siècle, Dudley Lynch et Paul L. Kordis
La vente – Apprenez les principes dont se servent les champions, Tom Hopkins
Le guide du succès – Apprenez à vivre en gagnant, Tom Hopkins
Le principe 80/20, Richard Koch

Le principe de Peter – ou pourquoi tout va toujours mal, Laurence J. Peter et Raymond Hull
Les 8 meilleurs principes des vendeurs ultraperformants, N. Trainor, D. Cowper et A. Haynes
Les bonnes idées ne coûtent rien, Alan G.Robinson et Dean M. Schroeder
Les nouvelles stratégies de coaching, Pierre J. Gendron et Christiane Faucher
Passage obligé. Passeport pour l'ère nouvelle – De la gestion mécanique à la gestion organique, Charles Sirois
Souriez, c'est lundi ! – Le bonheur au travail c'est possible, Bill Marchesin

Consommation et vie pratique

Le guide de l'épargnant, Option consommateurs
Le locataire avisé, Option consommateurs
Mariage, étiquette et planification, Suzanne Laplante

Droit

Le divorce sans avocat, Pierre Caron
Le petit guide de l'internet, Nicolas Sarrasin et Dany Dumont
Les petites créances – Comment se préparer, Pierre Caron
Les secrets d'une succession sans chicane, Justin Dugal

Généalogie

La généalogie – Retrouvez vos ancêtres, Marthe Faribault-Beauregard et Ève Beauregard-Malak
Votre nom et son histoire, Rolans Jacob

Achevé d'imprimer au Canada
sur les presses de Quebecor World Saint-Romuald